M000080094

Collection dirigée par Michel Simonin

PAUL VERLAINE

Poèmes saturniens

INTRODUCTION ET NOTES DE MARTINE BERCOT

LE LIVRE DE POCHE
classique

INTRODUCTION

Publiés à la fin de 1866, chez l'éditeur Alphonse Lemerre, le même jour que *Le Reliquaire* de François Coppée, les *Poèmes saturniens* forment le troisième volume d'une toute récente collection, inaugurée par *Ciel, Rue et Foyer* de Louis-Xavier de Ricard, fondateur, à la disparition de sa *Revue du Progrès* en 1864, de *L'Art*, éphémère revue littéraire déposée chez le même éditeur, à laquelle Verlaine a donné, en trois livraisons de novembre et décembre 1865, son importante étude, *Charles Baudelaire*. Verlaine, comme Louis-Xavier de Ricard, doit à son ami Ernest Boutier d'être entré en relations avec Alphonse Lemerre, dont la librairie devient en 1866 le siège d'une nouvelle publication dirigée par Louis-Xavier de Ricard, *Le Parnasse contemporain, recueil de vers nouveaux, contenant des poésies inédites des principaux poètes de ce temps [...]*, et le lieu de rencontre fameux de poètes fort divers et plus ou moins pertinemment baptisés « parnassiens », parmi lesquels Verlaine. Dix-huit fascicules du *Parnasse contemporain* paraissent entre le 3 mars et le 14 juillet 1866. Dans le neuvième (28 avril) et dans le dix-huitième (14 juillet) sont respectivement imprimées six puis une pièces, recueillies ensuite dans les *Poèmes saturniens*.

Les *Poèmes saturniens* viennent au jour dans un milieu d'effervescence poétique, dont l'entresol du 47, passage Choiseul est ensuite devenu l'emblème ; sa fréquentation offrait surtout aux divers jeunes poètes en quête d'éditeur l'occasion précieuse d'être imprimés — fût-ce à compte d'auteur, comme l'exigeait la règle astucieuse mais prudente de Lemerre pour sa collection de poètes contemporains. À la fin de 1866, il est trop tôt pour que l'étiquette, qui incline à croire plus tard à l'existence d'une école par-

nassienne, soit seulement conçue. Catulle Mendès[1] et
Louis-Xavier de Ricard[2] dénonceront l'idée fausse qu'une
école ait jamais réuni cette constellation mouvante de
jeunes poètes imprimés dans *Le Parnasse contemporain*
— dont Edmond Lepelletier dresse l'interminable liste[3] —
autour de principes partagés ou d'une visée esthétique
commune et définie. Tous en soulignent rétrospectivement
la diversité sans règle, si ce n'est de réaction aux « jérémiades lamartiniennes[4] », à la poésie du cœur, à la négligence formelle. Verlaine, regardant aussi vers ce passé où
la poésie, après les grands combats du romantisme où elle
avait brillé, se trouvait privée de phares, d'enthousiasme et
de principes, rappelle l'esprit de militantisme qui regroupa
tant de poètes, non sous le fanion d'une école, mais plutôt
sous l'étendard de la poésie à relever : « Ce fut, de notre
temps, la mode d'être militant et nous avions encore un
peu du sang des Petrus Borel et de ces Philothée O'Neddy
que voici[5]. »

La virulente caricature de Barbey d'Aurevilly, dans *Les
Trente-Sept Médaillonnets du Parnasse contemporain* (*Le
Nain jaune*, novembre 1866), mordante, drôle, et dénuée
de la moindre bonne foi critique, contribua sans doute à
confondre, à des fins polémiques, les talents divers de
poètes de tous ordres dans l'image inexacte d'un groupe de
combat, assujetti à des mots d'ordre, en garnison per-
manente dans les murs de la librairie de Lemerre. C'est
cette image qui inspirera au jeune provincial Rimbaud, en
mal d'impression de ses propres vers, les termes, mi-naïfs,
mi-flagorneurs, de son adresse à Théodore de Banville, à
qui il envoie quelques échantillons de sa manière, dont
Credo in unam, tribut au paganisme poétique du destina-
taire et contrepoint de certain *Prologue* en tête des *Poèmes
saturniens* : « Que si je vous envoie quelques-uns de ces
vers, — et cela en passant par Alph. Lemerre, le bon éditeur — c'est que j'aime tous les poètes, tous les bons Par-

1. *La Légende du Parnasse contemporain* (Bruxelles, Auguste Brancard,
1884), *Le Mouvement poétique français de 1867 à 1900*, Imprimerie nationale, Fasquelle, 1903. — **2.** *Petits Mémoires d'un parnassien*, *Le Petit
Temps*, novembre et décembre 1898. — **3.** *Paul Verlaine, sa vie, son œuvre*,
Société du Mercure de France, 1907, pp. 190-191. — **4.** Charles Baudelaire, I, *Œuvres en prose complètes*, Bibliothèque de la Pléiade, 1972,
p. 599. — **5.** *Confessions* (1895), *Œuvres en prose complètes*, Bibliothèque
de la Pléiade, 1972, p. 488.

nassiens, — puisque le poète est un Parnassien, — épris de la beauté idéale[1]. »

« Les *Poèmes saturniens* parurent dans l'édition originale en un volume in-18, de 163 pages, portant l'adresse d'Alphonse Lemerre, éditeur à Paris, 47, passage Choiseul, avec le millésime M.DCCC.LXVI et la vignette, alors sans soleil levant, du laboureur bêchant, et la devise : *Fac et spera*. » Au millésime près, en fait 1867, l'acte de naissance des *Poèmes saturniens*, consigné par Edmond Lepelletier, est exact. Le volume comporte un achevé d'imprimer sur la dernière feuille : « Imprimé par D. Jouaust, le vingt octobre mil huit cent soixante-six, pour A. Lemerre, libraire à Paris. » Encadrées d'un *Prologue* de cent deux vers et d'un *Épilogue* de quatre-vingts vers, dont le sujet, la Poésie, appelle l'emploi du « mètre sacro-saint[2] », l'alexandrin, que leur auteur, vingt-quatre ans plus tard, jugera encore adapté aux « limpides spéculations », aux « énonciations claires », trente-sept pièces se répartissent dans un plan mis en relief par les pages de faux-titres. Certaines annoncent des sections, dont le titre d'ensemble désigne des suites de pièces numérotées. C'est le cas de *Melancholia*, qui compte huit sonnets, d'*Eaux-fortes*, qui contient cinq pièces, de *Paysages tristes*, sept pièces, et de *Caprices*, cinq pièces. Pour les autres, la page de faux-titre n'annonce qu'un poème, imprimé sous le même titre ; ainsi des douze pièces, *Initium*, *Çavitrî*, *Sub urbe*, *Sérénade*, *Un dahlia*, *Nevermore*, *Il Bacio*, *Dans les bois*, *Nocturne parisien*, *Marco*, *César Borgia*, *La Mort de Philippe II*. Cette disparité d'usage trahit peut-être le souci d'étoffer un premier livre, encore mince ; Verlaine pourrait bien y trahir, sans l'avoir ouvertement avoué dans les témoignages conservés, l'horreur de « la plaquette » qui lancinait en février 1857 l'auteur des *Fleurs du mal* — autre premier livre, dont le volume évalué en nombre de feuilles d'imprimerie semblait à son auteur « piteux » et à cet égard sans remède. Mais la typographie voulue, qui met sur le même plan quatre sections, supposées signaler quelque rapport interne entre les poèmes recueillis, et douze pièces isolées pourrait aussi être la trace d'un essai de classement, en fait impossible. Verlaine a choisi tardivement, sans doute pas avant la fin de 1865 ou le début de 1866, comme foyer d'organisation de son premier livre, une inspiration surgie

---

1. Lettre à Théodore de Banville, 24 mai 1870. — **2.** *Critique des Poèmes saturniens* (1890).

de son étude de novembre et décembre 1865 sur Baudelaire. Comment des poèmes, des essais, qu'il affirme lui-
même, dans des témoignages, il est vrai, un peu diver-
gents, avoir composés dès la classe de seconde, voire de
troisième, au plus tard durant l'année de rhétorique, pou-
vaient-ils s'insérer dans un livre dont l'intention organisa-
trice était conçue après eux ? Mettre sur le même plan ses
états de poésie pouvait s'imposer à l'auteur d'un tout premier recueil, que la diversité des débuts, mélange d'imitations et d'essais de sa voix propre, retenait au seuil du véritable livre, non sans que l'accent fût porté sur les pièces où
résonne ce que tout lecteur aujourd'hui entend comme la
voix de Verlaine. Le titre finalement choisi, *Poèmes saturniens*, et les signes d'un ordre poétique plus personnel,
Melancholia, *Eaux-fortes*, *Paysages tristes*, *Caprices*,
marquent les premiers pas du poète vers la conscience de
lui-même. Bien avant que Rimbaud n'affirme, en bon élève
des classiques latins alors à l'étude dans les classes de
lycée, et sans innovation théorique remarquable, qu'il faut
« être né poète[1] » et se reconnaître pour tel, Verlaine, sans
déclaration d'intention fracassante, ni stratégie, se montre
immédiatement lui-même. Charles Maurras plaide en ce
sens lorsque, à propos des débuts de Verlaine, bientôt
masqué dans l'histoire littéraire d'un air « parnassien »
propice à l'idée d'une évolution, d'une formation, d'une
trouvaille progressive de soi, il écrit : « On a imaginé, en
manière d'explication, qu'en ce temps-là, Verlaine ne
s'était pas encore trouvé. [...] qu'est-ce, je vous prie, que de
"se trouver" ? Et surtout en matière de poésie, et d'une poésie toute d'impression et de sentiment, c'est une espèce de
non-sens que cette trouvaille de soi[2]. »
    De l'ambivalence manifeste de ce livre à l'état hybride
— Verlaine a 22 ans lorsqu'il le publie —, se souvient bien
le mémorialiste inégalement fidèle, appelé au bilan de ses
débuts dans ses *Confessions* (1895), ou, plus tôt, dans cette
préface à la réédition des *Poèmes saturniens*, qui fut
publiée à part (*La Revue d'aujourd'hui*, 15 mars 1890) ou
encore dans telle conférence « sur les poètes contemporains » (1893). Il est possible de récuser en doute celui qui,
de loin, resongeant à son premier livre, manque de la précision du documentaliste ou de l'historien littéraire en
matière de dates : est-ce finalement en troisième, en

---

1. Lettre à Georges Izambard, 13 mai 1871. — **2.** *Poètes*, *Les Quatorze*,
n° 3, Le Divan, 1923.

seconde, en rhétorique, comme il le dit sans trop de souci
d'exactitude, que la majeure partie des *Poèmes saturniens*
a été composée ? Ou encore durant les loisirs à lui consen-
tis par ses souples travaux d'employé à l'expédition de la
mairie du IXe arrondissement ? Ce que redit Verlaine en
tout cas, de façon plus ou moins argumentée selon le
contexte, c'est qu'entre le poète naissant et l'écrivain qu'il
est devenu, nulle solution de continuité ne se perçoit,
manière de dire, sans emphase, qu'il s'est « trouvé », non
sans médiation, mais sans délai.

C'est dans la *Critique des Poèmes saturniens*, peut-être,
que Verlaine se montre le plus soucieux de distinguer de la
part « écolière » sa voix personnelle, en termes de poète.
Sans doute consent-il d'abord à l'imprécision pudique de
circonstance pour l'éloge masqué de ses commencements :
« Mon œuvre de début, dans toute sa naïveté parfois écolière, non sans, je crois, quelque chose par-ci par-là du
définitif écrivain qu'il se peut que je sois devenu de nos
jours. » Il voit clair dans les traits de la poésie verlainienne
telle que la postérité la percevra : « J'avais, dis-je, déjà des
tendances bien décidées vers cette forme et ce fond d'idées
parfois contradictoires, de rêve et de précision. » La nou-
veauté introduite dès le début dans son usage du vers, qui
inclinera Octave Nadal à lui attribuer « une manière de
révolution fondamentale de la métrique », touchant « la
texture rythmique tout entière du vers[1] », Verlaine la discerne nettement, non sans souligner les moyens qu'il a de
façon réitérée choisis à ses fins : « l'un peu déjà libre versification — enjambement, et rejets dépendant plus généralement des deux césures avoisinantes, fréquentes allitérations, quelque chose comme de l'assonance souvent
dans le corps du vers, rimes plutôt rares que riches ». Et il
perçoit bien, tant cette pente lui paraît dès longtemps
sienne, l'accord intime et indissociable qui relie, dès
ses premières expressions, les faits de discordance interne et
externe du vers qu'il choisit pour instrument, et l'expression des dissonances latentes de l'être qui ruinent sourdement et l'idée reçue d'une identité du moi et l'autre idée
reçue du mot propre qui lui correspond. Un lexicoloque
tendancieux se fait jour, qui se rappelle « le mot propre
écarté des fois à dessein ou presque ». Une tonalité
s'impose pour la représentation d'un moi sans contenu sûr
et toujours exposé au vertige du vide : « la pensée triste et
voulue telle ou crue voulue telle ».

1. *Œuvres complètes*, Le Club du Meilleur Livre, 1960, t. II.

Dans ses souvenirs cependant, l'accent varie, ici porté
sur la continuité intérieure, là sur la « naïveté parfois écolière ». Nulle part il n'efface l'imprégnation du naïf et du
« moi fantasque », à l'encrier toujours changeant. Ainsi en
1893 : « J'ai débuté en 1867 par les *Poèmes saturniens*,
chose jeune et forcément empreinte d'imitations à droite
et à gauche. En outre, j'y étais "impassible", mot à la mode
en ces temps-là :

>   *Est-elle en marbre, ou non, la Vénus de Milo ?*

m'écriais-je alors dans un *Épilogue* que je fus quelque
temps encore à considérer comme la crème de l'Esthétique. Depuis, ces vers et ces théories me semblent puérils ;
honnêtes, les vers, mais puérils d'autant plus. Pourtant
l'homme qui était sous le tout jeune homme un peu pédant
que j'étais alors, jetait parfois ou plutôt soulevait le
masque et s'exprimait en plusieurs petits poèmes tendrement[1]. » Le vague du propos incline à identifier, dans les
poèmes du « jeune homme un peu pédant », plutôt ses
dévotions aux modes. Celle, par exemple, que dénonce
Sainte-Beuve lors d'une visite de Verlaine, postérieure à la
lettre répondant, de sa façon pateline, à l'envoi des *Poèmes
saturniens* ; l'auteur des *Confessions* la relate ainsi : « Ses
critiques bienveillantes s'exerçaient de préférence sur mon
abus des grands mots en K et en Y et en Ç, vestiges de lectures trop juvénilement convaincues de Leconte de Lisle.
Pourtant, en dépit des Tchandra et des Çuria qui s'y trouvaient de trop à son avis, et au mien... d'aujourd'hui, il
aimait bien la pièce *Çavitrî*[2]. » Peut-être Verlaine songe-t-il
aussi à son *César Borgia*, encore que, même antérieur aux
pièces enfin réunies sous le titre d'*Eaux-fortes*, cet essai du
« jeune homme pédant » puisse prendre sa place, par anti-
cipation, dans l'exercice de l'ecphrasis, qui découvre à Verlaine l'un des chemins de l'impression, de la « Sensation
rendue[3] ». Il peut viser aussi bien son hugolienne *Mort de
Philippe II*, dont cependant, hormis le sujet historique, et
peut-être aussi la fidélité écolière au mélange du grandiose
et du dérisoire et à la représentation de la *miseria hominis*,
il est permis de saluer l'outrance et l'excès, signes d'un
esprit tout autre que celui qu'il veut imiter. Verlaine
croit-il d'ailleurs à ses imitations, à celles-ci, en tout cas,

    1. *Œuvres en prose complètes*, Bibliothèque de la Pléiade, 1972, p. 900.
— **2.** *Ibid.*, p. 517. — **3.**   Lettre à Mallarmé, le 22 novembre 1866, pour
accompagner l'envoi des *Poèmes saturniens*.

lorsque, concédant les premiers emprunts, écartés depuis
lors, il écrit qu'il a abandonné certains sujets : « ... les historiques et les héroïques, par exemple. Et par conséquent
le ton épique ou didactique pris forcément à Victor Hugo,
un Homère de seconde main, après tout, et plus directement à Monsieur Leconte de Lisle qui ne saurait prétendre
à la fraîcheur de source d'un Orphée ou d'un Hésiode,
n'est-il pas vrai ? » En fait, lors de ces essais à la manière
de Leconte de Lisle ou de Victor Hugo, que visait l'imita-
teur, si ce n'est le but qu'il souligne plus ouvertement en
1890, et que, apprentissage délibéré du métier et insolence
mêlés, il poursuivit à ses débuts sous le masque commode
du disciple : « Il ne m'a bientôt plus convenu de faire du
Victor Hugo ou du Monsieur Leconte de Lisle, aussi bien
peut-être et *mieux* (ça s'est vu chez d'autres [...]), et
j'ajoute que pour cela il m'eût fallu comme à d'autres
l'éternelle jeunesse de *certains* Parnassiens, qui ne peut
reproduire que ce qu'elle a lu et dans la forme où elle l'a
lu. » Le problème de l'imitation verlainienne ne saurait
être mieux posé. Henri Nicolle, plus perspicace que
d'autres, lorsqu'il rend compte des *Poèmes saturniens*[1],
non sans railler les affectations marquées des formes sans-
krites et grecques dans le *Prologue* mais sensible à la cru-
dité hardie de *La Mort de Philippe II*, conclut : « Les vers
que j'ai signalés, tout pleins de petites bêtes qu'ils soient, et
les autres plus ou moins saturniens, précieux dans une
bizarrerie recherchée, sont — que M. Paul Verlaine nous
permette de le lui dire — gourme de poète, mais de poète
fort. » Les variétés de l'imitation dans les *Poèmes saturniens* retiennent l'attention, Verlaine n'eût-il pas laissé voir
le visage sous le masque dans les témoignages laissés.

  Que les emprunts soient nombreux n'est pas douteux.
Verlaine ne cache pas, mais exhibe plutôt ses livres de che-
vet à l'époque de sa formation littéraire : ce sont *Les Fleurs
du mal* — dans sa quatorzième année, note-t-il[2]. A-t-il vraiment eu entre les mains l'édition de 1857 ? Il ne commen-
tera ensuite, dans son *Charles Baudelaire* en 1865, que
l'édition de 1861. Mais si flottant soit Verlaine quant aux
dates, il cite pour modèles ceux dont le souvenir est visible
dans son premier livre. Baudelaire d'abord, qui, écrit-il,
« eut à ce moment, sur moi, une influence tout au moins
d'imitation enfantine, [...] mais une influence réelle et qui

---

1. *L'Étendard*, 8 janvier 1867. — **2.** *Confessions*, *Œuvres en prose
complètes*, Bibliothèque de la Pléiade, 1972, p. 481.

ne pouvait que grandir et, alors, s'élucider, se logifier avec
le temps ». Surtout Banville : « La lecture de ces vers
m'empoigna sur-le-champ, bien autrement encore que la
condensation et la foncière austérité des *Fleurs du mal*. »
Mais aussi Lamartine et Musset. Dans son panthéon de
lycéen poète l'emportent Glatigny, l'auteur des *Flèches d'or*
et surtout des *Vignes folles*, et Catulle Mendès, pour son
recueil *Philoméla*. À suivre les traces que livrent parfois
dans les *Poèmes saturniens* des fragments tout nûment
empruntés, ou à peine remodelés, la liste s'allonge. En
bonne place, Leconte de Lisle, avec ses *Poèmes antiques* et
ses *Poésies barbares* ; Gautier, l'encore récent auteur
d'*Émaux et Camées* ; mais aussi celui de *La Comédie de la
mort* ; Sainte-Beuve, dont Verlaine se souvient si bien qu'il
commence par lui rendre hommage, au début de son étude
sur Baudelaire, comme à un précurseur de « l'homme
moderne » que l'auteur des *Fleurs du mal* a magistrale-
ment incarné ; il salue « cet admirable recueil, *Joseph
Delorme*, que pour [s]on compte, [il] met, comme intensité
de mélancolie, infiniment au-dessus des jérémiades lamartiniennes et autres[1] ». Enfin Hugo, présence plurielle dont
on entend ici et là l'écho plus ou moins sonore, selon que
Verlaine se souvient de l'auteur des *Orientales*, des *Feuilles
d'automne*, des *Voix intérieures*, des *Contemplations* ou,
par exemple dans son *Prologue*, de celui de *La Légende des
siècles*[2]. La liste s'allongerait facilement de souvenirs plus
ponctuels et plus ténus, comme celui de *Ciel, Rue et Foyer*
de Louis-Xavier de Ricard, premier volume de poésie
contemporaine publié par Alphonse Lemerre ; ou celui de
L'Eldorado de Gautier ; ou encore, quoique Verlaine n'en
signale la lecture, dans ses *Confessions*, qu'à une époque
plus tardive, celui de Vigny, au moins de l'auteur de *La
Vigne et la Maison*. Si Verlaine se souvient de Musset, c'est
surtout *Rolla* qui lui revient en mémoire pour son *Prologue*, et sans doute *Namouna*, dans *Lassitude*. On s'étonne
que dans ses lectures nourricières, il ne mentionne pas
Nerval, dont la présence sensible et atténuée se perçoit
dans *Mon rêve familier*, chef-d'œuvre tout verlainien cependant — est-ce justement la raison d'un silence qui tait une
rencontre intime, étrangère à la notion d'influence ?
	La variété des emprunts et des réminiscences présente

1. *Œuvres en prose complètes*, Bibliothèque de la Pléiade, 1972, p. 599.
— **2.** Sur la question des influences et celle des lectures de Verlaine, voir
G. Zayed, *La Formation littéraire de Verlaine*, et J.-H. Bornecque, *Les Poèmes
saturniens de Paul Verlaine*.

moins d'intérêt que celle des imitations. La tradition classique de l'imitation est encore assez vivante dans les exer-
cices scolaires pour que Verlaine y pratique l'art de
l'apprentissage des formes, des figures et des genres.
N'est-ce pas ce qu'il dit, rappelant qu'il n'eut plus de goût à
« faire [...] du Monsieur Leconte de Lisle, aussi bien peut-
être, et *mieux* » ? Se préoccupe-t-il sérieusement, dans son
Prologue et dans son *Épilogue*, pour la part qu'il est tentant
d'attribuer au souvenir des *Poèmes antiques* et des *Poèmes
barbares*, des idées du maître des Impassibles ? Est-ce
opportunisme littéraire, ou même pastiche, comme le suggère en particulier J.-H. Bornecque, à propos de *Çavitrî*,
par exemple ? La frontière entre l'imitation du métier,
voire la surenchère — « faire » du Leconte de Lisle,
« *mieux* » — et le pastiche ou même la parodie est mince.
La parodie se discerne peut-être surtout du point de vue
d'une postérité aux yeux et au goût de laquelle la grandi-
loquence hautaine, affectée et laborieusement insensible
de l'auteur des *Poésies barbares* paraît en elle-même carica-
turale. L'esprit de jeu n'est sans doute pas absent de l'exercice d'imitation, lorsqu'il vise, comme c'est le cas des
« tapisseries parnassiennes » exposées de place en place
dans les *Poèmes saturniens*, à s'approprier un savoir-faire.
L'imitation en elle-même prête au jeu et à l'ironie. De cet
esprit de jeu, Edmond Lepelletier consigne un savoureux
exemple, auquel l'auteur des *Poèmes saturniens* n'est peut-
être pas étranger, lui qui avait reçu du maître en exil, en
réponse à l'envoi de son livre, ce billet : « Une des joies de
ma solitude, c'est, Monsieur, de voir se lever en France,
dans ce grand dix-neuvième siècle, une jeune aube de vraie
poésie. Toutes les promesses de progrès sont tenues, car
l'art est plus rayonnant que jamais. [...] *Ubi spiritus, ibi
poeta*. Certes vous avez le souffle. Vous avez la vue large et
l'esprit inspiré. Salut à votre succès. Je vous serre la
main [1]. » En voici la contrefaçon joueuse, qui grimace dans
la langue de Monsieur Prudhomme : « Confrère, car vous
êtes mon confrère, dans confrère il y a frère. Mon couchant salue votre aurore. Vous commencez de gravir le
Golgotha de l'Idée, moi je descends. Je suis votre ascen-
sion. Mon déclin sourit à votre montée. Continuez. L'Art
est infini. Vous êtes un rayon de ce grand tout obscur. Je
serre vos deux mains de poète. *Ex imo*. V.H. » ? Rien
d'aussi tranché, en matière d'imitation équivoque, dans les

---

1. Lettre du 22 avril 1867.

Poèmes saturniens. Parfois, cependant, l'italique attire l'œil
sur le modèle implicite que sa discrète distorsion décèle,
comme dans les « cieux *connus* » de *Marco*, envers implicite d'autres « Cieux inconnus », non dénué d'ironie[1]. Plus
sérieuse, l'imitation d'un genre, comme l'ecphrasis, que
Verlaine pratique sous l'égide de Baudelaire, parce qu'il est
tout à la fois l'illustrateur du genre, le théoricien de l'eau-
forte dont Verlaine retient le nom pour intituler une section de son livre, et surtout le théoricien de l'impression,
dont la technique et l'effet de l'eau-forte offrent le modèle
pictural. Verlaine pouvait trouver dans la leçon de Baudelaire, grâce à son propre goût pour la gravure, le trait, la
délinéation contingente des choses, une école du regard,
une voie vers la « Sensation rendue », qu'il désigne, dans
sa lettre d'envoi à Mallarmé, comme le mérite qu'il voudrait voir reconnaître à sa première poésie. Les titres des
sections qui organisent une partie de son livre : *Melancholia*, *Eaux-fortes*, *Paysages tristes*, *Caprices*, trahissent cette
sorte particulière de l'imitation créatrice.

C'est pour l'essentiel dans le cadre de ces sections que
résonne la voix de Verlaine, c'est-à-dire une tonalité
unique du langage et de l'être, jamais entendue avant lui.
L'une des leçons de Baudelaire pour Verlaine, qu'il souligne dispendieusement dans son étude de 1865, consiste
dans l'inouï poétique du lieu commun. L'amour, le vin, la
mort, Paris, tels sont les sujets des *Fleurs du mal* : des poncifs. La vraie transmutation poétique gît dans ce paradoxe
baudelairien, sur lequel Verlaine soulève plus de questions
qu'il ne donne de réponses, mais dont il a compris l'évidence : « Comment l'auteur a-t-il exprimé ce sentiment de
l'amour, le plus magnifique des lieux communs, et qui,
comme tel, a passé par toutes les formes poétiques possibles[2] ? » Si les réponses analytiques de l'étude de Verlaine — il a 21 ans — ne paraissent pas à la hauteur de la
question qu'il pose, certains des *Poèmes saturniens* y
répondent par la voix du poème. Ainsi de *Mon rêve familier*, poème sur l'amour, tout imprégné, pour le chercheur
de mots et d'images, de réminiscences baudelairiennes et
comme de citations-valises, si l'on peut dire, et aussi
poème sur l'absente, autre lieu commun, baigné de l'obsession de Nerval, et cependant tout verlainien. L'imitation
est moins importante ici que la hardiesse d'emploi du lieu

---

1. Voir la note 7 de *Marco*. — **2.** *Œuvres en prose complètes*, Bibliothèque de la Pléiade, 1972, p. 600.

commun : « Traiter des sujets éternels, — idées ou sentiments — sans tomber dans la redite, c'est là peut-être tout
l'avenir de la poésie[1]. » Nul doute que Verlaine se sente de
la race des « vrais poètes » — expression obscure qui lui
est le plus souvent appliquée, sans le fin mot qui l'élucide-
rait, même sous la plume de Rimbaud, qui pourtant lui
décerne le prix comme les autres —, et non des « rimail-
leurs subalternes ». Dans son recensement rapide des lieux
communs baudelairiens, auxquels il s'essaie, l'amour, la
mort ou peut-être plutôt l'absente, Paris — le vin sera pour
plus tard —, Verlaine en passe un sous silence, auquel
cependant, par la médiation de Baudelaire, et comme pour
marquer que tous les lieux communs des poètes sont littéraires, et non tirés de la nature et du lot commun des
choses vécues, il donne sa voix : le soleil couchant, ou plutôt « les soleils couchants », tout ensemble lieu commun
éternel de la poésie et citation de *L'Invitation au voyage*.
L'imitation contient aussi une autre sorte de rivalité que
celle que Verlaine entretient avec « Monsieur Leconte de
Lisle », pour l'appropriation des outils du métier. Cette
autre rivalité débouche sur la découverte de soi-même. En
ce sens, J.-H. Bornecque parle à raison de « Baudelaire
intercesseur ». Dans les *Soleils couchants* de Verlaine, il n'y
a rien de Baudelaire, sauf la citation, marquée par la fami-
liarité du plus jeune avec *Les Fleurs du mal*, quoiqu'il ne
cite jamais *L'Invitation au voyage*, et par le pluriel
emprunté, qui signe, dans ce premier livre semé de références picturales, le souvenir initial.

Sans doute, les *Soleils couchants* de Verlaine pourraient-
ils se lire comme l'inversion facile du poème-source. Au
calme soustrait à toute inquiétude, que Baudelaire attache
à l'image de ses soleils couchants :

> *Les soleils couchants*
> *Revêtent les champs,*
> *Les canaux, la ville entière,*
> *D'une chaude lumière,*
> *D'hyacinthe et d'or;*
> *Le monde s'endort*
> *Dans une chaude lumière.*

Verlaine paraît donner le pendant facile de l'effet opposé :
le surgissement importun et obsédant des spectres de

___
1. *Ibid.*

l'âme. Mais dans cette image du vertige intérieur et de l'absence de soi à soi-même, c'est la voix de Verlaine qui se fait entendre, celle qui, sous l'emprise de ce « moi compliqué », écrit-il, « bien contre mon gré d'homme tout simple et naïf[1] », s'impose comme une fatalité que les *Poèmes saturniens*, titre préféré à celui, annoncé en 1865, de *Poèmes et Sonnets*, à ce moment de sa vie, expriment.

Quel est le Baudelaire dont Verlaine dessine les traits qui lui importent, dans cette étude publiée en trois livraisons, les 16 et 30 novembre et le 23 décembre 1865 ? Lui qui affirmera, plus tard, en 1890, dans sa *Critique des Poèmes saturniens* : « JE N'AURAI PAS FAIT DE THÉORIE ! », ne se donne-t-il pas à propos de Baudelaire, comme Baudelaire à propos d'Edgar Poe ou de Constantin Guys, une voie vers lui-même ? Ce qu'il retient d'abord de Baudelaire, c'est qu'il représente « puissamment et essentiellement l'homme moderne » ; il précise, en homme de son temps : « l'homme physique moderne, tel que l'ont fait les raffinements d'une civilisation excessive, l'homme moderne, avec ses sens aiguisés et vibrants, son esprit douloureusement subtil, son cerveau saturé de tabac, son sang brûlé par l'alcool, en un mot, le *bilio-nerveux* par excellence, comme dirait H. Taine ». En des termes physiologiques, imposés par l'époque, c'est le mélancolique qu'incarne Baudelaire pour Verlaine. Se reconnaît-il dans cette figure qui, par ailleurs, semble si éloignée de celui qui écrira dans ses *Confessions* : « Je n'ai jamais été mélancolique de ma vie[2] » ? Ou y discerne-t-il une « modernité » d'hier, qui lui dicte ces propos plus circonspects : « L'historien futur de notre époque devra, pour ne pas être incomplet, feuilleter religieusement et attentivement ce livre qui est la quintessence et comme la concentration extrême de tout un élément de ce siècle. » Baudelaire ne s'exprime pas autrement à propos de Delacroix, dès lors qu'il lui paraît un maillon nécessaire dans la chaîne historique de l'art, dont il regarde les lendemains. Cependant, Verlaine est sans doute réceptif à ce qui, dans la mélancolie baudelairienne, manifeste un lieu commun essentiel de la poésie, et lui inspire, sans trop de créance à la Fatalité saturnienne qui fait le sujet de son tardif avertissement au lecteur, l'expression d'un vertige intérieur, d'un moi dépossédé de lui-même, a-t-on dit, d'une absence d'identité, qui esquisse un nouveau visage de la mélancolie.

---

1. *Ibid.*, p. 491. — 2. *Ibid.*, p. 452.

Il n'est guère douteux que le titre tardif des *Poèmes saturniens* prenne sa source dans l'*Épigraphe pour un livre condamné* de Baudelaire, et que Verlaine donne alors à son recueil une orientation qui ne l'éclaire pas tout entier. Sa genèse reste obscure. Les témoignages, aussi bien de Lepelletier que de Verlaine, incurablement « inattentif et naïf[1] », prêtent à controverse. Peu de données objectives, si ce n'est le recensement actuel des préoriginales des pièces recueillies dans les *Poèmes saturniens* : *Monsieur Prudhomme*, en 1863; *Dans les bois*, en 1865; *Nevermore* (« Souvenir, souvenir... ») en 1865; *Il Bacio*, de nouveau *Dans les bois*, *Cauchemar*, *Sub urbe*, *Marine*, *Mon rêve familier*, en 1866, ainsi que *L'Angoisse*, *Nuit du Walpurgis classique* et *Grotesques*. L'existence du recueil de pièces autographes, intitulé *Melancholia*, à l'intention d'Ernest Boutier, et qui regroupe les poèmes recueillis sous ce titre dans les *Poèmes saturniens*, accrus d'*Effet de nuit* et de *Grotesques*, ensuite classé dans *Eaux-fortes*, peut suggérer un premier essai de classement, peut-être même la publication d'une plaquette. Au reste, la genèse du premier livre de Verlaine ne peut prêter qu'aux conjectures de la critique externe. Claude Cuénot, appuyé sur l'analyse des documents et du texte conduite par J.-H. Bornecque, en a proposé un possible tableau[2].

---

1. *Romances sans paroles*, *Ariettes oubliées*, VI. — **2.** *Il Bacio*, vers 1860 (P 28 avril 1866).
Marco, après 1860 (P 28 avril 1866).
Nocturne parisien, fin 1861 ou première moitié 1862.
Initium, automne 1862?
Crépuscule du soir mystique, 1862 au plus tôt.
L'Heure du berger, id.
Monsieur Prudhomme, P août 1863.
Sub urbe, 1863 (P 28 avril 1866).
Nuit du Walpurgis classique, 1864 ou plus tôt (P 1ᵉʳ août 1866).
La Chanson des ingénues, 1864 ou plus tôt.
Prologue (1ʳᵉ partie), 1865.
Promenade sentimentale, id.
Chanson d'automne, id.
Nevermore I, P 30 décembre 1865.
Nevermore II, 1865.
Croquis parisien, id.
Dans les bois, P 16 décembre 1865.
Les Sages d'autrefois, 1866?
Après trois ans, 1866.
Prologue (2ᵉ partie), 1866.
Épilogue, 1866.
Mon rêve familier, P 28 avril 1866.
Cauchemar, id.
Marine, id.

Le miracle de Verlaine, auteur à 22 ans des *Poèmes saturniens*, est qu'il ne se laisse prendre ni aux rets de l'amateur de *Juvenilia*, ni au rêve des partisans du poète « tel qu'en lui-même ». Contrairement aux lois reçues de l'histoire littéraire, dont le critère majeur se fonde sur l'évolution du poète, Verlaine est immédiatement lui-même, mais un lui-même à éclipses, non seulement dans son premier livre, dont le caractère divers et inégal prête à l'enquête de rigueur sur les influences subies, qui expliqueraient tout, mais dans tous ses livres. Nul poète sans doute plus « amoureux d'écrire » et qui mériterait mieux que tout ce qu'il écrivit entre son premier poème, *Mort*, et le poème de ses derniers jours, *La Mort*, s'intitulât pour nous, ses lecteurs, une « œuvre-vie ».

Martine Bercot.

POÈMES SATURNIENS

Les Sages d'autrefois[1], *qui valaient bien ceux-ci,*
Crurent, et c'est un point encor mal éclairci,
Lire au ciel les bonheurs ainsi que les désastres,
Et que chaque âme était liée à l'un des astres[2].
(On a beaucoup raillé, sans penser que souvent
Le rire est ridicule[3] autant que décevant[4],
Cette explication du mystère nocturne[5].)
Or ceux-là qui sont nés sous le signe SATURNE[6],
Fauve planète[7], chère aux nécromanciens[8],
Ont entre tous, d'après les grimoires[9] anciens,
Bonne part de malheur et bonne part de bile[10].
L'Imagination, inquiète et débile,
Vient rendre nul en eux l'effort de la Raison[11].
Dans leurs veines le sang, subtil comme un poison,
Brûlant comme une lave, et rare[12], coule et roule
En grésillant[13] leur triste Idéal qui s'écroule.
Tels les Saturniens[14] doivent souffrir et tels
Mourir, — en admettant que nous soyons mortels, —
Leur plan de vie étant dessiné ligne à ligne
Par la logique d'une Influence maligne[15].

P.V.

PROLOGUE

PROLOGUE[1]

Dans ces temps[2] fabuleux, les limbes[3] de l'histoire,
Où les fils de Raghû[4], beaux de fard[5] et de gloire,
Vers la Ganga[6] régnaient leur règne[7] étincelant,
Et, par l'intensité de leur vertu troublant
5 Les Dieux et les Démons et Bhagavat lui-même[8],
Augustes, s'élevaient jusqu'au Néant suprême[9],
Ah![10] la terre et la mer et le ciel, purs encor
Et jeunes, qu'arrosait une lumière d'or
Frémissante, entendaient, apaisant leurs murmures
10 De tonnerres, de flots heurtés, de moissons mûres,
Et retenant le vol obstiné des essaims[11],
Les Poètes sacrés chanter les Guerriers saints[12],
Cependant que le ciel et la mer et la terre
Voyaient — rouges et las de leur travail austère[13],
15 S'incliner, pénitents fauves et timorés[14],
Les Guerriers saints devant les Poètes sacrés!
Une connexité grandiosement alme[15]
Liait le Kçhatrya[16] serein au Chanteur calme,
Valmiki l'excellent à l'excellent Rama[17] :
20 Telles sur un étang deux touffes de padma[18].

— Et sous tes cieux dorés et clairs, Hellas[19] antique,
De Sparte la sévère à la rieuse Attique,
Les Aèdes, Orpheus, Alkaïos[20], étaient
Encore des héros altiers, et combattaient.
25 Homéros, s'il n'a pas, lui, manié le glaive,
Fait retentir, clameur immense qui s'élève,
Vos échos jamais las, vastes postérités,
D'Hektôr et d'Odysseus, et d'Akhilleus chantés.
Les héros à leur tour, après les luttes vastes,

30 Pieux, sacrifiaient aux neuf Déesses chastes[21],
   Et non moins que de l'art d'Arès[22] furent épris
   De l'Art dont une Palme[23] immortelle est le prix,
   Akhilleus entre tous! Et le Laërtiade[24]
   Dompta, parole d'or qui charme et persuade[25],
35 Les esprits et les cœurs et les âmes toujours,
   Ainsi qu'Orpheus domptait les tigres et les ours.

   — Plus tard, vers des climats plus rudes, en des ères
   Barbares, chez les Francs tumultueux, nos pères,
   Est-ce que le Trouvère héroïque n'eut pas
40 Comme le Preux sa part auguste des combats?
   Est-ce que, Théroldus[26] ayant dit Charlemagne,
   Et son neveu Roland resté dans la montagne,
   Et le bon Olivier et Turpin au grand cœur[27],
   En beaux couplets et sur un rhythme âpre et vainqueur,
45 Est-ce que, cinquante ans après, dans les batailles,
   Les durs Leudes[28] perdant leur sang par vingt entailles,
   Ne chantaient pas le chant[29] de geste sans rivaux
   De Roland et de ceux qui virent Roncevaux
   Et furent de l'énorme et superbe tuerie,
50 Du temps de l'Empereur à la barbe fleurie[30]?...

   — Aujourd'hui[31], l'Action et le Rêve ont brisé
   Le pacte primitif par les siècles usé,
   Et plusieurs ont trouvé funeste ce divorce
   De l'Harmonie immense et bleue et de la Force.
55 La Force[32], qu'autrefois le Poète tenait
   En bride, blanc cheval ailé qui rayonnait,
   La Force, maintenant, la Force, c'est la Bête
   Féroce bondissante et folle et toujours prête
   À tout carnage, à tout dévastement, à tout
60 Égorgement, d'un bout du monde à l'autre bout!
   L'Action qu'autrefois réglait le chant des lyres[33],
   Trouble, enivrée, en proie aux cent mille délires
   Fuligineux[34] d'un siècle en ébullition,
   L'Action à présent, — ô pitié! — l'Action,
65 C'est l'ouragan, c'est la tempête, c'est la houle
   Marine dans la nuit sans étoiles, qui roule
   Et déroule parmi les bruits sourds l'effroi vert
   Et rouge[35] des éclairs sur le ciel entr'ouvert?

— Cependant, orgueilleux et doux[36], loin des vacarmes
70 De la vie et du choc désordonné des armes
Mercenaires, voyez, gravissant les hauteurs
Ineffables, voici le groupe des Chanteurs
Vêtus de blanc, et des lueurs d'apothéoses[37]
Empourprent la fierté sereine de leurs poses :
75 Tous beaux, tous purs, avec des rayons dans les yeux,
Et sous leur front le rêve inachevé des Dieux !
Le monde, que troublait leur parole profonde,
Les exile. À leur tour ils exilent le monde[38] !
C'est qu'ils ont à la fin compris qu'il ne faut plus
80 Mêler leur note pure aux cris irrésolus
Que va poussant la foule obscène et violente,
Et que l'isolement sied à leur marche lente.
Le Poète, l'amour du Beau[39], voilà sa foi,
L'Azur, son étendard, et l'Idéal, sa loi[40] !
85 Ne lui demandez rien de plus, car ses prunelles,
Où le rayonnement des choses éternelles[41]
A mis des visions qu'il suit avidement,
Ne sauraient s'abaisser une heure seulement
Sur le honteux conflit des besognes vulgaires
90 Et sur vos vanités plates ; et si naguères
On le vit au milieu des hommes, épousant
Leurs querelles, pleurant avec eux, les poussant
Aux guerres, célébrant l'orgueil des Républiques
Et l'éclat militaire et les splendeurs auliques[42]
95 Sur la kithare[43], sur la harpe et sur le luth,
S'il honorait parfois le présent d'un salut
Et daignait consentir à ce rôle de prêtre
D'aimer et de bénir, et s'il voulait bien être
La voix qui rit ou pleure alors qu'on pleure ou rit[44],
100 S'il inclinait vers l'âme humaine son esprit,
C'est qu'il se méprenait alors sur l'âme humaine.

— Maintenant, va, mon Livre[45], où le hasard te mène !

MELANCHOLIA[1]

À Ernest Boutier[2]

I

RÉSIGNATION

Tout enfant, j'allais rêvant[1] Ko-Hinnor[2],
Somptuosité persane et papale,
3 Héliogabale[3] et Sardanapale[4]!

Mon désir créait sous des toits en or[5],
Parmi les parfums, au son des musiques,
6 Des harems sans fin, paradis physiques[6]!

Aujourd'hui, plus calme et non moins ardent,
Mais sachant la vie et qu'il faut qu'on plie,
J'ai dû refréner ma belle folie,
10 Sans me résigner par trop cependant[7].

Soit! le grandiose échappe à ma dent,
Mais, fi de l'aimable et fi de la lie!
Et je hais toujours la femme jolie,
14 La rime assonante et l'ami prudent[8].

II

NEVERMORE[1]

Souvenir, souvenir, que me veux-tu? L'automne
Faisait voler la grive à travers l'air atone,
Et le soleil dardait un rayon monotone
4 Sur le bois jaunissant où la bise détone[2].

Nous étions seul à seule et marchions en rêvant,
Elle et moi, les cheveux et la pensée au vent.
Soudain, tournant vers moi son regard émouvant :
8 « Quel fut ton plus beau jour? » fit sa voix d'or[3] vivant,

Sa voix douce et sonore, au frais timbre angélique.
Un sourire discret[4] lui donna la réplique,
11 Et je baisai sa main blanche, dévotement.

— Ah! les premières fleurs, qu'elles sont parfumées!
Et qu'il bruit avec un murmure charmant
14 Le premier *oui* qui sort de lèvres bien-aimées!

III

APRÈS TROIS ANS[1]

Ayant poussé la porte étroite qui chancelle,
Je me suis promené dans le petit jardin
Qu'éclairait doucement le soleil du matin,
4 Pailletant chaque fleur d'une humide étincelle.

Rien n'a changé[2]. J'ai tout revu : l'humble tonnelle[3]
De vigne folle[4] avec les chaises de rotin...
Le jet d'eau fait toujours son murmure argentin
8 Et le vieux tremble sa plainte sempiternelle.

Les roses comme avant palpitent ; comme avant,
Les grands lys orgueilleux se balancent au vent.
11 Chaque alouette qui va et vient m'est connue.

Même j'ai retrouvé debout la Velléda[5]
Dont le plâtre s'écaille au bout de l'avenue[6],
14 — Grêle, parmi l'odeur fade du réséda[7].

IV

VŒU[1]

Ah! les oaristys[2]! les premières maîtresses!
L'or des cheveux, l'azur des yeux, la fleur des chairs,
Et puis, parmi l'odeur des corps jeunes et chers,
4 La spontanéité craintive des caresses!

Sont-elles assez loin, toutes ces allégresses
Et toutes ces candeurs[3]! Hélas! toutes devers[4]
Le printemps des regrets[5] ont fui les noirs hivers
8 De mes ennuis, de mes dégoûts, de mes détresses!

Si que[6] me voilà seul à présent, morne et seul,
Morne et désespéré, plus glacé qu'un aïeul,
11 Et tel qu'un orphelin pauvre sans sœur aînée[7].

Ô la femme à l'amour câlin et réchauffant,
Douce, pensive et brune, et jamais étonnée,
14 Et qui parfois vous baise au front, comme un enfant!

V

LASSITUDE[1]

« *A batallas de amor campo de pluma.* »
(GONGORA.)[2]

De la douceur, de la douceur, de la douceur!
Calme un peu ces transports fébriles, ma charmante[3].
Même au fort du déduit[4] parfois, vois-tu, l'amante
4 Doit avoir l'abandon paisible de la sœur[5].

Sois langoureuse[6], fais ta caresse endormante,
Bien égaux tes soupirs et ton regard berceur.
Va, l'étreinte jalouse et le spasme obsesseur[7]
8 Ne valent pas un long baiser, même qui mente[8]!

Mais dans ton cher cœur d'or[9], me dis-tu, mon enfant,
La fauve passion[10] va sonnant l'olifant[11]!...
11 Laisse-la trompeter à son aise, la gueuse[12]!

Mets ton front sur mon front et ta main dans ma main[13],
Et fais-moi des serments que tu rompras demain,
14 Et pleurons jusqu'au jour, ô petite fougueuse!

VI

MON RÊVE FAMILIER[1]

Je fais souvent ce rêve étrange et pénétrant
D'une femme inconnue, et que j'aime, et qui m'aime,
Et qui n'est, chaque fois, ni tout à fait la même
4 Ni tout à fait une autre[2], et m'aime et me comprend.

Car elle me comprend, et mon cœur transparent[3]
Pour elle seule, hélas! cesse d'être un problème
Pour elle seule, et les moiteurs de mon front blême,
8 Elle seule les sait rafraîchir, en pleurant[4].

Est-elle brune, blonde ou rousse? — Je l'ignore.
Son nom? Je me souviens qu'il est doux et sonore
11 Comme ceux des aimés que la Vie exila.

Son regard est pareil au regard des statues[5],
Et, pour sa voix, lointaine, et calme, et grave, elle a
14 L'inflexion des voix chères qui se sont tues[6].

VII

À UNE FEMME[1]

À vous ces vers, de par la grâce consolante
De vos grands yeux où rit et pleure[2] un rêve doux,
De par votre âme pure et toute bonne, à vous
4 Ces vers du fond de ma détresse violente[3].

C'est qu'hélas! le hideux cauchemar qui me hante
N'a pas de trêve et va furieux, fou, jaloux[4],
Se multipliant[5] comme un cortège de loups[6]
8 Et se pendant après mon sort[7] qu'il ensanglante!

Oh! je souffre, je souffre affreusement, si bien
Que le gémissement premier[8] du premier homme
11 Chassé d'Éden n'est qu'une églogue[9] au prix[10] du mien!

Et les soucis que vous pouvez avoir sont comme
Des hirondelles sur un ciel d'après-midi,
14 — Chère, — par un beau jour de septembre attiédi.

VIII

L'ANGOISSE[1]

Nature, rien de toi ne m'émeut, ni les champs
Nourriciers, ni l'écho vermeil des pastorales
Siciliennes, ni les pompes aurorales,
4 Ni la solennité dolente des couchants[2].

Je ris de l'Art, je ris de l'Homme aussi, des chants,
Des vers, des temples grecs et des tours en spirales[3]
Qu'étirent dans le ciel vide[4] les cathédrales,
8 Et je vois du même œil les bons et les méchants.

Je ne crois pas en Dieu, j'abjure et je renie
Toute pensée, et quant à la vieille ironie,
11 L'Amour, je voudrais bien qu'on ne m'en parlât plus.

Lasse de vivre, ayant peur de mourir[5], pareille
Au brick perdu jouet du flux et du reflux,
14 Mon âme pour d'affreux naufrages appareille[6].

EAUX-FORTES[1]

À François Coppée[2]

I

CROQUIS PARISIEN[1]

La lune plaquait[2] ses teintes de zinc[3]
    Par angles obtus.
Des bouts de fumée en forme de cinq
4 Sortaient drus et noirs des hauts toits pointus.

Le ciel était gris. La bise pleurait
    Ainsi qu'un basson[4].
Au loin, un matou frileux et discret
8 Miaulait d'étrange et grêle façon[5].

Moi, j'allais, rêvant du divin Platon
    Et de Phidias,
Et de Salamine et de Marathon[6],
12 Sous l'œil clignotant des bleus becs de gaz[7].

II

CAUCHEMAR[1]

J'ai vu passer dans mon rêve
— Tel l'ouragan sur la grève, —
D'une main tenant un glaive
Et de l'autre un sablier[2],
5   Ce cavalier

Des ballades d'Allemagne[3]
Qu'à travers ville et campagne,
Et du fleuve à la montagne,
Et des forêts au vallon,
10   Un étalon

Rouge-flamme et noir d'ébène,
Sans bride, ni mors, ni rêne[4],
Ni hop[5] ! ni cravache, entraîne
Parmi des râlements sourds
15   Toujours ! toujours !

Un grand feutre à longue plume
Ombrait son œil qui s'allume
Et s'éteint. Tel, dans la brume,
Éclate et meurt l'éclair bleu
20   D'une arme à feu.

Comme l'aile d'une orfraie[6]
Qu'un subit orage effraie,
Par l'air que la neige raie,
Son manteau se soulevant
25   Claquait au vent,

Et montrait d'un air de gloire
Un torse d'ombre et d'ivoire,
Tandis que dans la nuit noire
Luisaient en des cris stridents
30   Trente-deux dents[7].

III

MARINE[1]

L'Océan sonore
Palpite sous l'œil[2]
De la lune en deuil
4 Et palpite encore,

Tandis qu'un éclair
Brutal et sinistre
Fend le ciel de bistre[3]
8 D'un long zigzag clair,

Et que chaque lame,
En bonds convulsifs,
Le long des récifs
12 Va, vient, luit et clame,

Et qu'au firmament,
Où l'ouragan erre,
Rugit le tonnerre
16 Formidablement[4].

IV

EFFET DE NUIT[1]

La nuit. La pluie. Un ciel blafard[2] que déchiquette
De flèches[3] et de tours à jour la silhouette
D'une ville gothique éteinte au lointain[4] gris.
4 La plaine. Un gibet plein de pendus rabougris
Secoués par le bec avide des corneilles
Et dansant dans l'air noir des gigues nonpareilles[5],
Tandis que leurs pieds sont la pâture des loups.
8 Quelques buissons d'épine épars, et quelques houx
Dressant l'horreur de leur feuillage à droite, à gauche,
Sur le fuligineux fouillis d'un fond d'ébauche[6].
Et puis, autour de trois livides prisonniers
12 Qui vont pieds nus, deux cent vingt-cinq pertuisaniers[7]
En marche, et leurs fers droits, comme des fers de herse[8],
Luisent à contresens des lances de l'averse.

V

GROTESQUES[1]

Leurs[2] jambes pour toutes montures,
Pour tous biens l'or de leurs regards,
Par le chemin des aventures
4 Ils vont haillonneux et hagards[3].

Le sage, indigné, les harangue ;
Le sot plaint ces fous hasardeux ;
Les enfants leur tirent la langue
8 Et les filles se moquent d'eux.

C'est qu'odieux[4] et ridicules,
Et maléfiques[5] en effet,
Ils ont l'air, sur les crépuscules,
12 D'un mauvais rêve que l'on fait ;

C'est que, sur leurs aigres[6] guitares
Crispant la main des libertés[7],
Ils nasillent des chants bizarres,
16 Nostalgiques et révoltés ;

C'est enfin que dans leurs prunelles
Rit et pleure[8] — fastidieux —
L'amour des choses éternelles,
20 Des vieux morts et des anciens dieux[9] !

— Donc, allez, vagabonds sans trêves,
Errez, funestes et maudits,
Le long des gouffres et des grèves,
24 Sous l'œil fermé[10] des paradis !

La nature[11] à l'homme s'allie
Pour châtier comme il le faut
L'orgueilleuse mélancolie[12]
28 Qui vous fait marcher le front haut,

Et, vengeant sur vous le blasphème
Des vastes espoirs véhéments,
Meurtrit votre front anathème[13]
32 Au choc rude des éléments.

Les juins brûlent et les décembres
Gèlent votre chair jusqu'aux os,
Et la fièvre envahit vos membres,
36 Qui se déchirent aux roseaux.

Tout vous repousse et tout vous navre,
Et quand la mort viendra pour vous,
Maigre et froide, votre cadavre
40 Sera dédaigné par les loups !

PAYSAGES TRISTES[1]

À Catulle Mendès[2]

I

SOLEILS COUCHANTS[1]

Une aube affaiblie[2]
Verse[3] par les champs[4]
La mélancolie
4 Des soleils couchants.
La mélancolie[5]
Berce de doux chants
Mon cœur qui s'oublie
8 Aux soleils couchants.
Et d'étranges rêves,
Comme des soleils
Couchants sur les grèves[6],
12 Fantômes vermeils,
Défilent sans trêves,
Défilent, pareils
À des grands soleils
16 Couchants sur les grèves[7].

II

CRÉPUSCULE DU SOIR MYSTIQUE[1]

Le Souvenir avec le Crépuscule
Rougeoie et tremble à l'ardent horizon
De l'Espérance en flamme[2] qui recule
4 Et s'agrandit ainsi qu'une cloison[3]
Mystérieuse où mainte floraison
— Dahlia, lys, tulipe et renoncule —
S'élance autour d'un treillis, et circule[4]
8 Parmi la maladive exhalaison
De parfums lourds et chauds, dont le poison
— Dahlia, lys, tulipe et renoncule —
Noyant mes sens, mon âme et ma raison,
12 Mêle dans une immense pâmoison[5]
Le Souvenir avec le Crépuscule.

III

PROMENADE SENTIMENTALE[1]

Le couchant dardait[2] ses rayons suprêmes
Et le vent berçait les nénuphars blêmes[3] ;
Les grands nénuphars, entre les roseaux
4 Tristement luisaient sur les calmes eaux.
Moi j'errais tout seul, promenant ma plaie
Au long de l'étang, parmi la saulaie
Où la brume vague évoquait[4] un grand
8 Fantôme laiteux se désespérant
Et pleurant avec la voix des sarcelles
Qui se rappelaient[5] en battant des ailes
Parmi la saulaie où j'errais tout seul
12 Promenant ma plaie ; et l'épais linceul
Des ténèbres[6] vint noyer les suprêmes
Rayons du couchant dans ces ondes blêmes
Et des nénuphars, parmi les roseaux,
16 Des grands nénuphars sur les calmes eaux[7].

IV

NUIT DU WALPURGIS CLASSIQUE[1]

C'est plutôt le sabbat du second Faust[2] que l'autre.
Un rhythmique sabbat, rhythmique, extrêmement
Rhythmique. — Imaginez un jardin de Lenôtre,
4   Correct, ridicule et charmant[3].

Des ronds-points ; au milieu, des jets d'eau ; des allées
Toutes droites ; sylvains de marbre ; dieux marins
De bronze ; çà et là, des Vénus étalées ;
8   Des quinconces, des boulingrins[4] ;

Des châtaigniers ; des plants de fleurs formant la dune ;
Ici, des rosiers nains qu'un goût docte effila[5] ;
Plus loin, des ifs taillés en triangles. La lune
12   D'un soir d'été sur tout cela.

Minuit sonne, et réveille au fond du parc aulique[6]
Un air mélancolique, un sourd, lent et doux air
De chasse : tel, doux, lent, sourd et mélancolique[7],
16   L'air de chasse de *Tannhauser*[8].

Des chants voilés de cors lointains où la tendresse
Des sens étreint l'effroi de l'âme en des accords
Harmonieusement dissonants dans l'ivresse ;
20   Et voici qu'à l'appel des cors

S'entrelacent soudain des formes toutes blanches[9],
Diaphanes[10], et que le clair de lune fait
Opalines[11] parmi l'ombre verte des branches,
24   — Un Watteau rêvé par Raffet[12] ! —

S'entrelacent parmi l'ombre verte des arbres
D'un geste alangui, plein d'un désespoir profond,
Puis, autour des massifs, des bronzes et des marbres,
28   Très lentement dansent en rond.

— Ces spectres agités, sont-ce donc la pensée
Du poète ivre[13], ou son regret ou son remords,
Ces spectres agités en tourbe[14] cadencée,
32   Ou bien tout simplement des morts?

Sont-ce donc ton remords, ô rêvasseur qu'invite
L'horreur[15], ou ton regret, ou ta pensée, — hein? — tous
Ces spectres qu'un vertige irrésistible agite,
36   Ou bien des morts qui seraient fous? —

N'importe! ils vont toujours, les fébriles fantômes,
Menant leur ronde vaste et morne et tressautant
Comme dans un rayon de soleil des atomes,
40   Et s'évaporent à l'instant

Humide et blême où l'aube éteint l'un après l'autre
Les cors, en sorte qu'il ne reste absolument
Plus rien — absolument — qu'un jardin de Lenôtre,
44   Correct, ridicule et charmant.

V

CHANSON D'AUTOMNE[1]

Les sanglots longs
Des violons
  De l'automne
Blessent mon cœur
D'une langueur[2]
6   Monotone.

Tout suffocant
Et blême, quand
  Sonne l'heure,
Je me souviens
Des jours anciens
12   Et je pleure[3];

Et je m'en vais
Au vent mauvais
  Qui m'emporte
Deçà, delà,
Pareil à la
18   Feuille morte.

VI

L'HEURE DU BERGER[1]

La lune est rouge au brumeux horizon;
Dans un brouillard qui danse la prairie
S'endort fumeuse, et la grenouille crie
4 Par les joncs verts où circule un frisson;

Les fleurs des eaux referment leurs corolles;
Des peupliers profilent aux lointains,
Droits et serrés, leurs spectres incertains;
8 Vers les buissons errent les lucioles;

Les chats-huants s'éveillent, et sans bruit
Rament[2] l'air noir avec leurs ailes lourdes,
Et le zénith s'emplit de lueurs sourdes.
12 Blanche, Vénus émerge, et c'est la Nuit[3].

VII

LE ROSSIGNOL[1]

Comme un vol criard d'oiseaux en émoi,
Tous mes souvenirs s'abattent sur moi,
S'abattent parmi le feuillage jaune
4 De mon cœur mirant son tronc plié d'aune
Au tain violet de l'eau des Regrets
Qui mélancoliquement coule auprès,
S'abattent, et puis la rumeur mauvaise
8 Qu'une brise moite en montant apaise,
S'éteint par degrés dans l'arbre, si bien
Qu'au bout d'un instant on n'entend plus rien,
Plus rien que la voix célébrant l'Absente,
12 Plus rien que la voix — ô si languissante ! —
De l'oiseau que fut mon Premier Amour,
Et qui chante encor comme au premier jour ;
Et, dans la splendeur triste d'une lune
16 Se levant blafarde et solennelle, une
Nuit mélancolique et lourde d'été,
Pleine de silence et d'obscurité,
Berce sur l'azur qu'un vent doux effleure
20 L'arbre qui frissonne et l'oiseau qui pleure[2].

CAPRICES[1]

À Henry Winter[2]

I

FEMME ET CHATTE[1]

Elle jouait avec sa chatte,
Et c'était merveille[2] de voir
La main blanche et la blanche patte
4 S'ébattre[3] dans l'ombre du soir.

Elle cachait — la scélérate[4] ! —
Sous ses mitaines[5] de fil noir
Ses meurtriers ongles d'agate[6],
8 Coupants et clairs comme un rasoir.

L'autre aussi faisait la sucrée[7]
Et rentrait sa griffe acérée.
11 Mais le diable n'y perdait rien[8]...

Et dans le boudoir où, sonore,
Tintait son rire aérien
14 Brillaient quatre points de phosphore.

II

JÉSUITISME[1]

Le Chagrin qui me tue est ironique[2], et joint
Le sarcasme au supplice, et ne torture point
Franchement, mais picote avec un faux sourire
4 Et transforme en spectacle amusant mon martyre,
Et sur la bière où gît mon Rêve mi-pourri,
Beugle un *De profundis* sur l'air du *Traderi*[3].
C'est un Tartuffe qui, tout en mettant des roses
8 Pompons sur les autels des Madones moroses,
Tout en faisant chanter à des enfants de chœur
Ces cantiques d'eau tiède où se baigne le cœur,
Tout en amidonnant ces guimpes amoureuses
12 Qui serpentent au corps sacré des Bienheureuses,
Tout en disant à voix basse son chapelet,
Tout en passant la main sur son petit collet,
Tout en parlant avec componction de l'âme,
16 N'en médite pas moins ma ruine, — l'infâme!

III

LA CHANSON DES INGÉNUES[1]

Nous sommes les Ingénues
Aux bandeaux plats, à l'œil bleu[2],
Qui vivons, presque inconnues,
4 Dans les romans qu'on lit peu.

Nous allons entrelacées,
Et le jour n'est pas plus pur
Que le fond de nos pensées[3],
8 Et nos rêves sont d'azur ;

Et nous courons par les prées[4]
Et rions et babillons
Des aubes jusqu'aux vesprées[5],
12 Et chassons aux papillons[6] ;

Et des chapeaux de bergères[7]
Défendent notre fraîcheur,
Et nos robes — si légères[8] —
16 Sont d'une extrême blancheur[9] ;

Les Richelieux, les Caussades
Et les chevaliers Faublas[10]
Nous prodiguent les œillades,
20 Les saluts et les « hélas ! »

Mais en vain, et leurs mimiques
Se viennent casser le nez
Devant les plis ironiques
24 De nos jupons détournés ;

Et notre candeur se raille
Des imaginations
De ces raseurs de muraille,
28 Bien que parfois nous sentions

Battre nos cœurs[11] sous nos mantes[12]
À des pensers clandestins,
En nous sachant les amantes
32 Futures des libertins[13].

IV

UNE GRANDE DAME[1]

Belle « à damner les saints », à troubler sous l'aumusse[2]
Un vieux juge! Elle marche impérialement.
Elle parle — et ses dents font un miroitement —
4 Italien, avec un léger accent russe.

Ses yeux froids où l'émail sertit le bleu de Prusse[3]
Ont l'éclat insolent et dur du diamant.
Pour la splendeur du sein, pour le rayonnement
8 De la peau, nulle reine ou courtisane, fût-ce

Cléopâtre la lynce[4] ou la chatte Ninon[5],
N'égale sa beauté patricienne, non!
11 Vois, ô bon Buridan[6] : « C'est une grande dame! »

Il faut — pas de milieu! — l'adorer à genoux,
Plat, n'ayant d'astre aux cieux que ses lourds
                                        [cheveux roux,
14 Ou bien lui cravacher la face, à cette femme!

V

MONSIEUR PRUDHOMME[1]

Il est grave : il est maire et père de famille.
Son faux col engloutit son oreille[2]. Ses yeux
Dans un rêve sans fin flottent insoucieux,
4 Et le printemps en fleurs sur ses pantoufles brille.

Que lui fait l'astre d'or, que lui fait la charmille
Où l'oiseau chante à l'ombre, et que lui font les cieux,
Et les prés verts et les gazons silencieux ?
8 Monsieur Prudhomme songe à marier sa fille

Avec monsieur Machin, un jeune homme cossu.
Il est juste-milieu[3], botaniste et pansu.
11 Quant aux faiseurs de vers, ces vauriens, ces maroufles[4],

Ces fainéants barbus, mal peignés, il les a
Plus en horreur que son éternel coryza,
14 Et le printemps en fleurs brille sur ses pantoufles[5].

INITIUM

INITIUM[1]

Les violons mêlaient leur rire[2] au chant des flûtes
Et le bal tournoyait quand je la vis passer
Avec ses cheveux blonds jouant sur les volutes
De son oreille où mon Désir comme un baiser
5 S'élançait et voulait lui parler, sans oser.

Cependant elle allait, et la mazurque[3] lente
La portait dans son rhythme indolent comme un vers[4],
— Rime mélodieuse, image étincelante, —
Et son âme d'enfant rayonnait à travers
10 La sensuelle ampleur de ses yeux gris et verts.

Et depuis, ma Pensée[5] — immobile — contemple
Sa Splendeur évoquée, en adoration,
Et dans son Souvenir, ainsi que dans un temple,
Mon Amour entre, plein de superstition.

15 Et je crois que voici venir la Passion.

ÇAVITRÎ

ÇAVITRÎ[1]

(Maha-Baratta.)

Pour sauver son époux, Çavitrî fit le vœu
De se tenir trois jours entiers, trois nuits entières,
Debout, sans remuer jambes, buste ou paupières :
4 Rigide, ainsi que dit Vyaça, comme un pieu[2].

Ni, Çurya[3], tes rais cruels, ni la langueur
Que Tchandra[4] vient épandre à minuit sur les cimes
Ne firent défaillir, dans leurs efforts sublimes,
8 La pensée et la chair de la femme au grand cœur.

— Que nous cerne l'Oubli, noir et morne assassin,
Ou que l'Envie aux traits amers nous ait pour cibles,
Ainsi que Çavitrî faisons-nous impassibles,
12 Mais, comme elle, dans l'âme ayons un haut dessein[5].

SUB URBE

SUB URBE[1]

Les petits ifs du cimetière[2]
Frémissent au vent hiémal[3],
3 Dans la glaciale lumière.

Avec des bruits sourds[4] qui font mal,
Les croix de bois des tombes neuves
6 Vibrent sur un ton anormal[5].

Silencieux comme des fleuves,
Mais gros de pleurs comme eux de flots,
9 Les fils, les mères et les veuves

Par les détours du triste enclos
S'écoulent, — lente théorie[6], —
12 Au rythme heurté des sanglots.

Le sol sous les pieds glisse et crie,
Là-haut de grands nuages tors
15 S'échevèlent avec furie.

Pénétrant comme le remords,
Tombe un froid lourd qui vous écœure
18 Et qui doit filtrer[7] chez les morts,

Chez les pauvres morts[8], à toute heure
Seuls, et sans cesse grelottants,
21 — Qu'on les oublie ou qu'on les pleure! —

Ah! vienne vite le Printemps,
Et son clair soleil qui caresse,
24 Et ses doux oiseaux caquetants!

Refleurisse l'enchanteresse
Gloire des jardins et des champs
27 Que l'âpre hiver tient en détresse !

Et que, — des levers aux couchants, —
L'or dilaté d'un ciel sans bornes
30 Berce de parfums et de chants,

Chers endormis, vos sommeils mornes[9] !

SÉRÉNADE

SÉRÉNADE[1]

Comme la voix d'un mort qui chanterait
    Du fond de sa fosse[2],
Maîtresse, entends monter vers ton retrait[3]
4   Ma voix aigre et fausse[4].

Ouvre ton âme et ton oreille au son
    De ma mandoline :
Pour toi j'ai fait, pour toi, cette chanson
8   Cruelle et câline.

Je chanterai tes yeux d'or et d'onyx
    Purs de toutes ombres,
Puis le Léthé de ton sein[5], puis le Styx
12   De tes cheveux sombres.

Comme la voix d'un mort qui chanterait
    Du fond de sa fosse,
Maîtresse, entends monter vers ton retrait
16   Ma voix aigre et fausse.

Puis je louerai beaucoup, comme il convient,
    Cette chair bénie
Dont le parfum opulent[6] me revient
20   Les nuits d'insomnie.

Et pour finir, je dirai le baiser
    De ta lèvre rouge,
Et ta douceur à me martyriser,
24   — Mon Ange ! — ma Gouge[7] !

Ouvre ton âme et ton oreille au son
    De ma mandoline :
Pour toi j'ai fait, pour toi, cette chanson
28   Cruelle et câline.

UN DAHLIA

UN DAHLIA

Courtisane[1] au sein dur, à l'œil opaque et brun
S'ouvrant avec lenteur comme celui d'un bœuf[2],
3 Ton grand torse reluit ainsi qu'un marbre neuf.

Fleur grasse et riche, autour de toi ne flotte aucun
Arome, et la beauté sereine de ton corps
6 Déroule, mate, ses impeccables accords[3].

Tu ne sens même pas la chair, ce goût qu'au moins
Exhalent celles-là qui vont fanant[4] les foins,
9 Et tu trônes[5], Idole insensible à l'encens.

— Ainsi le Dahlia, roi vêtu de splendeur,
Élève sans orgueil sa tête sans odeur,
12 Irritant au milieu des jasmins agaçants !

NEVERMORE

NEVERMORE[1]

Allons, mon pauvre cœur, allons, *mon vieux complice*,
Redresse et peins à neuf tous tes arcs triomphaux ;
Brûle un encens ranci sur tes autels d'or faux ;
Sème de fleurs les bords béants du précipice[2] ;
5 Allons, mon pauvre cœur, allons, *mon vieux complice !*

Pousse à Dieu ton cantique, ô chantre rajeuni ;
Entonne, orgue enroué, des *Te Deum* splendides ;
Vieillard prématuré, mets du fard sur tes rides ;
Couvre-toi de tapis mordorés, mur jauni ;
10 Pousse à Dieu ton cantique, ô chantre rajeuni.

Sonnez, grelots ; sonnez, clochettes ; sonnez, cloches !
Car mon rêve impossible a pris corps, et je l'ai
Entre mes bras pressé : le Bonheur, cet ailé
Voyageur qui de l'Homme évite les approches,
15 — Sonnez, grelots ; sonnez, clochettes ; sonnez, cloches !

Le Bonheur a marché côte à côte avec moi ;
Mais la Fatalité ne connaît point de trêve :
Le ver est dans le fruit, le réveil dans le rêve,
Et le remords est dans l'amour : telle est la loi.
20 — Le Bonheur a marché côte à côte avec moi.

IL BACIO

IL BACIO[1]

Baiser! rose trémière[2] au jardin des caresses!
Vif accompagnement sur le clavier des dents
Des doux refrains qu'Amour chante en les cœurs ardents
4 Avec sa voix d'archange aux langueurs charmeresses[3]

Sonore et gracieux Baiser, divin Baiser!
Volupté nonpareille[4], ivresse inénarrable!
Salut! l'homme, penché sur ta coupe adorable,
8 S'y grise d'un bonheur qu'il ne sait[5] épuiser.

Comme le vin du Rhin et comme la musique,
Tu consoles et tu berces, et le chagrin
Expire avec la moue en ton pli purpurin...
12 Qu'un plus grand, Goethe ou Will[6], te dresse un
[vers classique.

Moi, je ne puis, chétif trouvère de Paris,
T'offrir que ce bouquet[7] de strophes enfantines:
Sois bénin et, pour prix, sur les lèvres mutines
16 D'Une que je connais, Baiser, descends, et ris.

DANS LES BOIS

DANS LES BOIS[1]

D'autres, — des innocents ou bien des lymphatiques, —
Ne trouvent dans les bois que charmes langoureux,
Souffles frais et parfums tièdes. Ils sont heureux !
4 D'autres s'y sentent pris — rêveurs — d'effrois
                                        [mystiques[2].

Ils sont heureux ! Pour moi, nerveux, et qu'un remords
Épouvantable et vague affole sans relâche,
Par les forêts je tremble à la façon d'un lâche
8 Qui craindrait une embûche ou qui verrait des morts.

Ces grands rameaux jamais apaisés, comme l'onde,
D'où tombe un noir silence avec une ombre encor
Plus noire, tout ce morne et sinistre décor
12 Me remplit d'une horreur triviale et profonde[3].

Surtout les soirs d'été : la rougeur du couchant
Se fond dans le gris bleu des brumes qu'elle teinte
D'incendie et de sang ; et l'angélus qui tinte
16 Au lointain semble un cri plaintif se rapprochant.

Le vent se lève chaud et lourd, un frisson passe
Et repasse, toujours plus fort, dans l'épaisseur
Toujours plus sombre des hauts chênes, obsesseur[4],
20 Et s'éparpille, ainsi qu'un miasme, dans l'espace.

La nuit vient. Le hibou s'envole. C'est l'instant
Où l'on songe aux récits des aïeules naïves...
Sous un fourré, là-bas, là-bas, des sources vives
24 Font un bruit d'assassins postés se concertant.

NOCTURNE PARISIEN

À Edmond Lepelletier

NOCTURNE PARISIEN[1]

Roule, roule ton flot indolent, morne Seine. —
Sous tes ponts qu'environne une vapeur malsaine
Bien des corps ont passé, morts, horribles, pourris,
Dont les âmes avaient pour meurtrier Paris.
5 Mais tu n'en traînes pas, en tes ondes glacées,
Autant que ton aspect m'inspire de pensées !

Le Tibre[2] a sur ses bords des ruines qui font
Monter le voyageur vers un passé profond,
Et qui, de lierre noir et de lichen couvertes,
10 Apparaissent, tas gris, parmi les herbes vertes.
Le gai Guadalquivir rit aux blonds orangers
Et reflète, les soirs, des boléros légers.
Le Pactole a son or, le Bosphore a sa rive
Où vient faire son kief[3] l'odalisque lascive.
15 Le Rhin est un burgrave, et c'est un troubadour
Que le Lignon, et c'est un ruffian que l'Adour.
Le Nil, au bruit plaintif de ses eaux endormies,
Berce de rêves doux le sommeil des momies.
Le grand Meschascébé, fier de ses joncs sacrés,
20 Charrie augustement ses îlots mordorés,
Et soudain, beau d'éclairs, de fracas et de fastes,
Splendidement s'écroule en Niagaras vastes.
L'Eurotas, où l'essaim des cygnes familiers
Mêle sa grâce blanche au vert mat des lauriers,
25 Sous son ciel clair que raie un vol de gypaète,
Rhythmique et caressant, chante ainsi qu'un poète.
Enfin, Ganga[4], parmi les hauts palmiers tremblants
Et les rouges padmas[5], marche à pas fiers et lents
En appareil royal, tandis qu'au loin la foule

30 Le long des temples va hurlant, vivante houle,
   Au claquement massif des cymbales de bois,
   Et qu'accroupi, filant ses notes de hautbois,
   Du saut de l'antilope agile attendant l'heure,
   Le tigre jaune au dos rayé s'étire et pleure.

35 — Toi, Seine, tu n'as rien. Deux quais, et voilà tout,
   Deux quais crasseux, semés de l'un à l'autre bout
   D'affreux bouquins moisis et d'une foule insigne
   Qui fait dans l'eau des ronds et qui pêche à la ligne.
   Oui, mais quand vient le soir, raréfiant enfin
40 Les passants alourdis de sommeil ou de faim,
   Et que le couchant met au ciel des taches rouges,
   Qu'il fait bon aux rêveurs descendre de leurs bouges
   Et, s'accoudant au pont de la Cité, devant
   Notre-Dame, songer, cœur et cheveux au vent !
45 Les nuages, chassés par la brise nocturne,
   Courent, cuivreux et roux, dans l'azur taciturne.
   Sur la tête d'un roi du portail, le soleil,
   Au moment de mourir, pose un baiser vermeil.
   L'hirondelle s'enfuit à l'approche de l'ombre,
50 Et l'on voit voleter la chauve-souris sombre.
   Tout bruit s'apaise autour. À peine un vague son
   Dit que la ville est là qui chante sa chanson,
   Qui lèche ses tyrans et qui mord ses victimes ;
   Et c'est l'aube des vols, des amours et des crimes[6].
55 — Puis, tout à coup, ainsi qu'un ténor effaré
   Lançant dans l'air bruni son cri désespéré,
   Son cri qui se lamente et se prolonge, et crie,
   Éclate en quelque coin l'orgue de Barbarie :
   Il brame un de ces airs, romances ou polkas,
60 Qu'enfants nous tapotions sur nos harmonicas
   Et qui font, lents ou vifs, réjouissants ou tristes,
   Vibrer l'âme aux proscrits, aux femmes, aux artistes.
   C'est écorché, c'est faux, c'est horrible, c'est dur,
   Et donnerait la fièvre à Rossini, pour sûr ;
65 Ces rires sont traînés, ces plaintes sont hachées ;
   Sur une clef de sol impossible juchées,
   Les notes ont un rhume et les *do* sont des *la*,
   Mais qu'importe ! l'on pleure en entendant cela !
   Mais l'esprit, transporté dans le pays des rêves,

70 Sent à ces vieux accords couler en lui des sèves ;
   La pitié monte au cœur et les larmes aux yeux,
   Et l'on voudrait pouvoir goûter la paix des cieux,
   Et dans une harmonie étrange et fantastique
   Qui tient de la musique et tient de la plastique,
75 L'âme, les inondant de lumière et de chant,
   Mêle les sons de l'orgue aux rayons du couchant[7] !

   — Et puis l'orgue s'éloigne, et puis c'est le silence,
   Et la nuit terne arrive, et Vénus se balance
   Sur une molle nue au fond des cieux obscurs ;
80 On allume les becs de gaz le long des murs,
   Et l'astre et les flambeaux font des zigzags fantasques
   Dans le fleuve plus noir que le velours des masques ;
   Et le contemplateur sur le haut garde-fou
   Par l'air et par les ans rouillé comme un vieux sou
85 Se penche, en proie aux vents néfastes de l'abîme.
   Pensée, espoir serein, ambition sublime,
   Tout, jusqu'au souvenir, tout s'envole, tout fuit,
   Et l'on est seul avec Paris, l'Onde et la Nuit !

   — Sinistre trinité ! De l'ombre dures portes !
90 Mané-Thécel-Pharès[8] des illusions mortes !
   Vous êtes toutes trois, ô Goules[9] de malheur,
   Si terribles, que l'Homme, ivre de la douleur
   Que lui font en perçant sa chair vos doigts de spectre,
   L'Homme, espèce d'Oreste à qui manque une Électre,
95 Sous la fatalité de votre regard creux
   Ne peut rien et va droit au précipice affreux ;
   Et vous êtes aussi toutes trois si jalouses
   De tuer et d'offrir au grand Ver[10] des épouses
   Qu'on ne sait que choisir entre vos trois horreurs,
00 Et si l'on craindrait moins périr par les terreurs
   Des Ténèbres que sous l'Eau sourde, l'Eau profonde,
   Ou dans tes bras fardés, Paris, reine du monde !

   — Et tu coules toujours, Seine, et, tout en rampant,
   Tu traînes dans Paris ton cours de vieux serpent,
05 De vieux serpent boueux, emportant vers tes havres
   Tes cargaisons de bois, de houille, et de cadavres !

MARCO

MARCO[1]

Quand Marco passait[2], tous les jeunes hommes
Se penchaient pour voir ses yeux, des Sodomes[3]
3 Où les feux d'Amour[4] brûlaient sans pitié
Ta pauvre cahute[5], ô froide Amitié;
Tout autour dansaient des parfums mystiques
6 Où l'âme en pleurant s'anéantissait,
Sur ses cheveux roux un charme glissait[6];
Sa robe rendait d'étranges musiques
9   Quand Marco passait.

Quand Marco chantait, ses mains sur l'ivoire
Évoquaient souvent la profondeur noire
12 Des airs primitifs que nul n'a redits,
Et sa voix montait dans les paradis
De la symphonie immense des rêves,
15 Et l'enthousiasme alors transportait
Vers des cieux *connus*[7] quiconque écoutait
Ce timbre d'argent qui vibrait sans trêves
18   Quand Marco chantait.

Quand Marco pleurait, ses terribles larmes
Défiaient l'éclat des plus belles armes;
21 Ses lèvres de sang fonçaient leur carmin
Et son désespoir n'avait rien d'humain;
Pareil au foyer que l'huile exaspère,
24 Son courroux croissait, rouge, et l'on aurait
Dit d'une lionne à l'âpre forêt
Communiquant sa terrible colère
27   Quand Marco pleurait.

Quand Marco dansait, sa jupe moirée
Allait et venait comme une marée,
30 Et, tel qu'un bambou flexible, son flanc
Se tordait, faisant saillir son sein blanc :
Un éclair partait. Sa jambe de marbre[8],
33 Emphatiquement cynique, haussait
Ses mates splendeurs, et cela faisait
Le bruit du vent de la nuit dans un arbre
36   Quand Marco dansait.

Quand Marco dormait, oh ! quels parfums d'ambre
Et de chairs mêlés opprimaient la chambre !
39 Sous les draps la ligne exquise du dos
Ondulait, et dans l'ombre des rideaux
L'haleine montait, rhythmique et légère ;
42 Un sommeil heureux et calme fermait
Ses yeux, et ce doux mystère charmait
Les vagues objets parmi l'étagère,
45   Quand Marco dormait.

Mais quand elle aimait, des flots de luxure
Débordaient, ainsi que d'une blessure
48 Sort un sang vermeil qui fume et qui bout,
De ce corps cruel que son crime absout[9];
Le torrent rompait les digues de l'âme,
51 Noyait la pensée, et bouleversait
Tout sur son passage, et rebondissait
Souple et dévorant comme de la flamme,
54   Et puis se glaçait.

CÉSAR BORGIA

PORTRAIT EN PIED

CÉSAR BORGIA[1]

Sur fond sombre noyant un riche vestibule
Où le buste d'Horace et celui de Tibulle[2]
Lointains et de profil rêvent en marbre blanc,
La main gauche au poignard et la main droite au flanc
5 Tandis qu'un rire doux redresse la moustache,
Le duc CÉSAR en grand costume se détache.
Les yeux noirs, les cheveux noirs et le velours noir
Vont contrastant[3], parmi l'or somptueux d'un soir,
Avec la pâleur mate et belle du visage
10 Vu de trois quarts et très ombré, suivant l'usage
Des Espagnols ainsi que des Vénitiens
Dans les portraits de rois et de patriciens.
Le nez palpite, fin et droit. La bouche, rouge,
Est mince, et l'on dirait que la tenture bouge
15 Au souffle véhément qui doit s'en exhaler.
Et le regard errant avec laisser-aller
Devant lui, comme il sied aux anciennes peintures,
Fourmille de pensers énormes d'aventures.
Et le front, large et pur, sillonné d'un grand pli,
20 Sans doute de projets formidables rempli,
Médite sous la toque où frissonne une plume
S'élançant hors d'un nœud de rubis qui s'allume.

LA MORT DE PHILIPPE II

À Louis-Xavier de Ricard

LA MORT DE PHILIPPE II[1]

Le coucher d'un soleil de septembre[2] ensanglante[3]
La plaine morne et l'âpre arête des sierras[4]
3 Et de la brume au loin l'installation lente.

Le Guadarrama[5] pousse entre les sables ras
Son flot hâtif qui va réfléchissant par places
6 Quelques oliviers nains tordant leurs maigres bras.

Le grand vol anguleux des éperviers rapaces
Raye à l'ouest le ciel mat et rouge qui brunit,
9 Et leur cri rauque grince à travers les espaces.

Despotique, et dressant au-devant du zénith
L'entassement brutal de ses tours octogones,
12 L'Escurial étend son orgueil de granit[6].

Les murs carrés, percés de vitraux monotones,
Montent droits, blancs et nus, sans autres ornements
15 Que quelques grils sculptés qu'alternent des couronnes.

Avec des bruits pareils aux rudes hurlements
D'un ours que des bergers navrent[7] de coups de pioches
18 Et dont l'écho redit les râles alarmants,

Torrent de cris roulant ses ondes sur les roches
Et puis s'évaporant en des murmures longs,
21 Sinistrement dans l'air du soir tintent les cloches.

Par les cours du palais, où l'ombre met ses plombs,
Circule — tortueux serpent hiératique —
24 Une procession de moines aux frocs blonds

Qui marchent un par un, suivant l'ordre ascétique,
Et qui, pieds nus, la corde aux reins, un cierge en main,
27 Ululent d'une voix formidable un cantique.

— Qui donc ici se meurt? Pour qui sur le chemin
Cette paille épandue et ces croix long-voilées
30 Selon le rituel catholique romain? —

La chambre est haute, vaste et sombre. Niellées[8],
Les portes d'acajou massif tournent sans bruit,
33 Leurs serrures étant, comme leurs gonds, huilées.

Une vague rougeur plus triste que la nuit[9]
Filtre à rais indécis par les plis des tentures
36 À travers les vitraux où le couchant reluit,

Et fait papilloter sur les architectures,
À l'angle des objets, dans l'ombre du plafond,
39 Ce halo singulier qu'on voit dans les peintures.

Parmi le clair-obscur transparent et profond
S'agitent effarés des hommes et des femmes
42 À pas furtifs, ainsi que les hyènes font.

Riches, les vêtements des seigneurs et des dames,
Velours, panne[10], satin, soie, hermine et brocart[11],
45 Chantent l'ode du luxe en chatoyantes gammes,

Et, trouant par éclairs distancés avec art
L'opaque demi-jour, les cuirasses de cuivre
48 Des gardes alignés scintillent de trois quart[12].

Un homme en robe noire, à visage de guivre[13],
Se penche, en caressant de la main ses fémurs,
51 Sur un lit, comme l'on se penche sur un livre.

Des rideaux de drap d'or roides comme des murs
Tombent d'un dais de bois d'ébène en droite ligne,
54 Dardant à temps égaux l'œil des diamants durs.

Dans le lit, un vieillard d'une maigreur insigne
Égrène un chapelet, qu'il baise par moment,
57 Entre ses doigts crochus comme des brins de vigne.

Ses lèvres font ce sourd et long marmottement,
Dernier signe de vie et premier d'agonie,
60 — Et son haleine pue épouvantablement.

Dans sa barbe couleur d'amarante[14] ternie,
Parmi ses cheveux blancs où luisent des tons roux
63 Sous son linge bordé de dentelle jaunie,

Avides, empressés, fourmillants, et jaloux
De pomper tout le sang malsain du mourant fauve,
66 En bataillons serrés vont et viennent les poux.

C'est le Roi, ce mourant qu'assiste un mire[15] chauve,
Le Roi Philippe Deux d'Espagne, — Saluez! —
69 Et l'aigle autrichien s'effare[16] dans l'alcôve,

Et de grands écussons, aux murailles cloués,
Brillent, et maints drapeaux où l'oiseau noir s'étale
72 Pendent deçà delà, vaguement remués!...

— La porte s'ouvre. Un flot de lumière brutale
Jaillit soudain, déferle et bientôt s'établit
75 Par l'ampleur de la chambre en nappe horizontale ;

Porteurs de torches, roux, et que l'extase emplit,
Entrent dix capucins qui restent en prière :
78 Un d'entre eux se détache et marche droit au lit.

Il est grand, jeune et maigre, et son pas est de pierre,
Et les élancements farouches de la Foi
81 Rayonnent à travers les cils de sa paupière ;

Son pied ferme et pesant et lourd, comme la Loi,
Sonne sur les tapis, régulier, emphatique ;
84 Les yeux baissés en terre, il marche droit au Roi.

Et tous sur son trajet dans un geste extatique
S'agenouillent, frappant trois fois du poing leur sein;
87 Car il porte avec lui le sacré Viatique[17].

Du lit s'écarte avec respect le matassin[18],
Le médecin du corps, en pareille occurrence,
90 Devant céder la place, Âme, à ton médecin.

La figure du Roi, qu'étire la souffrance,
À l'approche du fray[19], se rassérène un peu.
93 Tant la religion est grosse d'espérance!

Le moine cette fois ouvrant son œil de feu,
Tout brillant de pardons mêlés à des reproches,
96 S'arrête, messager des justices de Dieu.

— Sinistrement dans l'air du soir tintent les cloches.

———————

Et la Confession commence. Sur le flanc
Se retournant, le Roi, d'un ton sourd, bas et grêle,
100 Parle de feux, de juifs, de bûchers et de sang.

— « Vous repentiriez-vous par hasard de ce zèle?
« Brûler des juifs, mais c'est une dilection[20]!
103 « Vous fûtes, ce faisant, orthodoxe et fidèle. » —

Et se pétrifiant dans l'exaltation,
Le Révérend, les bras croisés, tête dressée,
106 Semble l'esprit sculpté de l'Inquisition[21].

Ayant repris haleine, et d'une voix cassée,
Péniblement, et comme arrachant par lambeaux
109 Un remords douloureux du fond de sa pensée,

Le Roi, dont la lueur tragique des flambeaux
Éclaire le visage osseux et le front blême,
112 Prononce ces mots : Flandre, Albe[22], morts, sacs,

[tombeaux.

— « Les Flamands, révoltés contre l'Église même,
« Furent très justement punis, à votre los[23],
115 « Et je m'étonne, ô Roi, de ce doute suprême.

« Poursuivez. » — Et le Roi parla de don Carlos[24].
Et deux larmes coulaient tremblantes sur sa joue
118 Palpitante et collée affreusement à l'os.

— « Vous déplorez cet acte, et moi je vous en loue !
« L'Infant, certes, était coupable au dernier point,
121 « Ayant voulu tirer l'Espagne dans la boue

« De l'hérésie anglaise, et de plus n'ayant point
« Frémi de conspirer — ô ruses abhorrées ! —
124 « Et contre un Père, et contre un Maître, et contre
                                        [un Oint[25] ! » —
                                          .

Le moine ensuite dit les formules sacrées
Par quoi tous nos péchés nous sont remis, et puis,
127 Prenant l'Hostie avec ses deux mains timorées,

Sur la langue du Roi la déposa. Tous bruits
Se sont tus, et la Cour, pliant dans la détresse,
130 Pria, muette et pâle, et nul n'a su depuis

Si sa prière fut sincère ou bien traîtresse.
— Qui dira les pensers obscurs que protégea
133 Ce silence, brouillard complice qui se dresse ? —

Ayant communié, le Roi se replongea
Dans l'ampleur des coussins, et la béatitude
136 De l'Absolution reçue ouvrant déjà

L'œil de son âme au jour clair de la certitude,
Épanouit ses traits en un sourire exquis
139 Qui tenait de la fièvre et de la quiétude.

Et tandis qu'alentour ducs, comtes et marquis,
Pleins d'angoisses, fichaient leurs yeux sous la courtine,
142 L'âme du Roi mourant montait aux cieux conquis.

Puis le râle des morts hurla dans la poitrine
De l'auguste malade avec des sursauts fous :
145 Tel l'ouragan passe à travers une ruine.

Et puis, plus rien ; et puis, sortant par mille trous,
Ainsi que des serpents frileux de leur repaire,
148 Sur le corps froid les vers se mêlèrent aux poux.

— Philippe Deux était à la droite du Père[26].

ÉPILOGUE

ÉPILOGUE[1]

I

Le soleil, moins ardent, luit clair au ciel moins dense.
Balancés par un vent automnal et berceur,
Les rosiers du jardin s'inclinent en cadence.
4 L'atmosphère ambiante[2] a des baisers[3] de sœur.

La Nature a quitté pour cette fois son trône
De splendeur, d'ironie et de sérénité :
Clémente, elle descend, par l'ampleur de l'air jaune[4],
8 Vers l'homme, son sujet pervers et révolté[5].

Du pan de son manteau que l'abîme constelle,
Elle daigne essuyer les moiteurs de nos fronts[6],
Et son âme éternelle et sa force immortelle
12 Donnent calme et vigueur à nos cœurs mous et prompts[7].

Le frais balancement des ramures chenues,
L'horizon élargi plein de vagues chansons,
Tout, jusqu'au vol joyeux des oiseaux et des nues,
16 Tout aujourd'hui console et délivre. — Pensons[8].

II

Donc, c'en est fait. Ce livre est clos. Chères Idées
Qui rayiez[9] mon ciel gris de vos ailes de feu
Dont le vent caressait mes tempes obsédées,
20 Vous pouvez revoler devers[10] l'Infini bleu !

Et toi, Vers qui tintais, et toi, Rime sonore,
Et vous, Rhythmes chanteurs, et vous, délicieux
Ressouvenirs, et vous, Rêves, et vous encore,
24 Images qu'évoquaient mes désirs anxieux,

Il faut nous séparer[11]. Jusqu'aux jours plus propices
Où nous réunira l'Art, notre maître, adieu,
Adieu, doux compagnons, adieu, charmants complices!
28 Vous pouvez revoler devers l'Infini bleu.

Aussi bien, nous avons fourni notre carrière[12]
Et le jeune étalon de notre bon plaisir,
Tout affolé qu'il est de sa course première,
32 A besoin d'un peu d'ombre et de quelque loisir.

— Car toujours nous t'avons fixée[13], ô Poésie,
Notre astre unique[14] et notre unique passion,
T'ayant seule pour guide et compagne choisie,
36 Mère, et nous méfiant de l'Inspiration.

III

Ah! l'Inspiration[15] superbe et souveraine,
L'Égérie[16] aux regards lumineux et profonds,
Le Genium[17] commode et l'Erato[18] soudaine,
40 L'Ange des vieux tableaux avec des ors au fond,

La Muse, dont la voix est puissante sans doute,
Puisqu'elle fait d'un coup dans les premiers cerveaux[19],
Comme ces pissenlits dont s'émaille la route,
44 Pousser tout un jardin de poèmes[20] nouveaux,

La Colombe, le Saint-Esprit, le saint Délire,
Les Troubles opportuns, les Transports complaisants,
Gabriel et son luth, Apollon et sa lyre[21],
48 Ah! l'Inspiration, on l'invoque à seize ans!

Ce qu'il nous faut à nous, les Suprêmes Poètes
Qui vénérons les Dieux et qui n'y croyons pas[22],
À nous dont nul rayon n'auréola les têtes,
52 Dont nulle Béatrix n'a dirigé les pas[23],

À nous qui ciselons les mots comme des coupes[24]
Et qui faisons des vers émus très froidement[25],
À nous qu'on ne voit point les soirs aller par groupes
56 Harmonieux au bord des *lacs* et nous pâmant[26],

Ce qu'il nous faut à nous[27], c'est, aux lueurs des lampes,
La science conquise et le sommeil dompté,
C'est le front dans les mains du vieux Faust des estampes,
60 C'est l'Obstination et c'est la Volonté !

C'est la Volonté sainte, absolue, éternelle,
Cramponnée au projet comme un noble condor
Aux flancs fumants de peur d'un buffle, et d'un coup d'aile
64 Emportant son trophée à travers les cieux d'or[28] !

Ce qu'il nous faut à nous, c'est l'étude sans trêve,
C'est l'effort inouï, le combat nonpareil[29],
C'est la nuit, l'âpre nuit du travail, d'où se lève
68 Lentement, lentement, l'Œuvre, ainsi qu'un soleil !

Libre à nos Inspirés, cœurs qu'une œillade enflamme[30],
D'abandonner leur être aux vents comme un bouleau ;
Pauvres gens ! l'Art n'est pas d'éparpiller son âme :
72 Est-elle en marbre, ou non, la Vénus de Milo[31] ?

Nous donc, sculptons avec le ciseau des Pensées
Le bloc vierge du Beau, Paros immaculé[32],
Et faisons-en surgir sous nos mains empressées
76 Quelque pure statue au péplos étoilé,

Afin qu'un jour, frappant de rayons gris et roses
Le chef-d'œuvre serein, comme un nouveau Memnon[33],
L'Aube-Postérité[34], fille des Temps moroses[35],
80 Fasse dans l'air futur retentir notre nom[36] !

VARIANTES ET NOTES

ABRÉVIATIONS UTILISÉES

— *L'Art*, 16 décembre 1865 : *A 16.12.1865*
— *L'Art*, 30 décembre 1865 : *A 30.12.1865*
— *Revue du xixᵉ siècle*, 1ᵉʳ août 1866 : *R août 1866*
— *Revue du xixᵉ siècle*, octobre-décembre 1866 : *R oct 1866*
— *Le Parnasse contemporain*, 1866 : *PC 1866*
— *Poèmes saturniens*, 1866 : *1866*
— *Poèmes saturniens*, 1890 : *1890*
— *Choix de poésies*, 1891 : *CP 1891*
— *Poèmes saturniens*, 1894 : *1894*

Les variantes sont en caractères romains. Les références et remarques sont en italiques. Dans les notes, les références aux études critiques signalées dans les éléments bibliographiques sont résumées au nom de l'auteur suivi de la date de publication de l'étude et du numéro de page.

NOTE SUR L'ÉTABLISSEMENT DU TEXTE

ÉDITIONS DES *POÈMES SATURNIENS*

Trois éditions des *Poèmes saturniens* ont été publiées du vivant de Verlaine :
— *Poèmes saturniens*, Paris, Alphonse Lemerre, 1866. Édition originale tirée à 491 exemplaires. Achevé d'imprimer 20 ctobre 1866 ; la couverture porte le millésime 1867.
— 2ᵉ édition, Paris, Léon Vanier, 1890.
— 3ᵉ édition, Paris, Léon Vanier, 1894.

Des quarante pièces du recueil, vingt-quatre ont été reprises sous le titre de *Poèmes saturniens* dans *Choix de poésies*, Bibliothèque Charpentier, 1891. En voici la liste :
« *Les Sages d'autrefois...* », *Melancholia* (*I Nevermore, II Après trois ans, III Vœu, IV Lassitude, V Mon rêve familier, VI À une femme*), *Eaux-fortes* (*Effet de nuit, Grotesques*),

Paysages tristes (*I Soleils couchants, II Crépuscule du soir
mystique, III Promenade sentimentale, IV Nuit du Walpurgis
classique, V Chanson d'automne, VI L'Heure du berger, VII
Le Rossignol*), *Caprices* (*I Femme et chatte, II La Chanson
des ingénues, III Un dahlia, IV Il Bacio*), *Çavitrî, Sérénade,
Nocturne parisien, César Borgia.*

PRÉORIGINALES

— *Monsieur Prudhomme*, dans la *Revue du progrès moral,
littéraire, scientifique et artistique*, août 1863.
— *Dans les bois*, dans *L'Art*, 16 décembre 1865.
— *Nevermore* (« Souvenir, souvenir... »), dans *L'Art*, 30
décembre 1865. Poème republié dans la *Revue du XIX*e *siècle*,
avril-juin 1867.
— *Il Bacio, Dans les bois, Cauchemar, Sub urbe, Marine,
Mon rêve familier*, dans *Le Parnasse contemporain*, 9e fascicule,
28 avril 1866.
— *L'Angoisse*, dans *Le Parnasse contemporain*, 18e fascicule,
14 juillet 1866. Les dix-huit fascicules sont recueillis en
volume dans *Le Parnasse contemporain*, Alphonse Lemerre,
1866.
— *Nuit du Walpurgis classique*, dans la *Revue du XIX*e *siècle*,
1er août 1866.
— *Grotesques*, dans la *Revue du XIX*e *siècle*, octobre-
décembre 1866.

MANUSCRITS

Le catalogue de la librairie Blaizot (vente du 12 mars 1936,
n° 188) mentionne « un recueil de poésies autographes, intitulé *Melancholia*, dédié à Ernest Boutier, 13 pages in-8° ». Il
correspond à la section des *Poèmes saturniens*, accrue d'*Effet
de nuit* et de *Grotesques*, c'est-à-dire des *Eaux-fortes* IV et V;
Nevermore, Mon rêve familier et *L'Angoisse* s'y présentent sous
forme d'épreuves corrigées; *Lassitude* est reproduit en fac-
similé (aucune variante si ce n'est l'orthographe *oliphant*).
Dans le catalogue de la bibliothèque du Dr Lucien Graux :
Manuscrits et livres romantiques et modernes, 4e partie (vente
du 4 juin 1957, n° 118) figure un recueil de poèmes autographes : *Croquis parisien, Cauchemar, Soleils couchants, Crépuscule du soir mystique, Promenade sentimentale, Nuit du
Walpurgis classique, Chanson d'automne, L'Heure du berger, Le
Rossignol, Femme et Chatte, Jésuitisme, La Chanson des ingénues, Une grande dame, Monsieur Prudhomme, Çavitrî, Sub
urbe, Un dahlia, Nevermore (2), Il Bacio, Dans les bois.*
Sur les variantes présentées par les manuscrits, voir l'édition de Y.-G. Le Dantec, Bibliothèque de la Pléiade, 1951;

l'édition revue et complétée par J. Borel, Bibliothèque de la Pléiade, 1962. Voir aussi J.-H. Bornecque, « Les variantes de Verlaine et leurs enseignements », *L'Information littéraire*, 1957, nº 5.

TEXTE DE LA PRÉSENTE ÉDITION

Il est d'usage de reproduire la dernière édition revue par l'auteur, en l'occurrence celle de 1894. La négligence de Verlaine correcteur, soulignée par Jacques Borel (1962, pp. X-XI) et par Jacques Robichez (1969 et 1995, pp. 704-705) incline à choisir l'édition originale (1866).

Le texte de la présente édition reproduit celui de l'exemplaire de l'édition originale (1866) conservé à la Bibliothèque nationale (Rés. p. Ye 1151) et donné comme exemplaire de Verlaine, sous reliure d'époque portant les initiales du poète au dos et, sur le feuillet de garde, la mention « Ex libris Cazals » et la signature « P. Verlaine ». Il en diffère cependant dans *Nevermore* (« Souvenir, souvenir!... ») au vers 4 : *détone.* (*A 30.12.1865, CP 1891*) au lieu de *détone* sans ponctuation (*1866*) et dans les cas suivants d'orthographe incorrecte ou d'absence de signe de ponctuation utile au sens : *Vœu*, vers 1 : *oaristys* au lieu de *oarystis* — *Lassitude*, vers 10 : *olifant* au lieu de *oliphant* — vers 11 : *trompeter* au lieu de *trompetter* — *L'Angoisse*, vers 14 : *appareille.* au lieu de *appareille* sans ponctuation — *Crépuscule du soir mystique*, vers 12 : *pâmoison* au lieu de *pamoison* — *Nuit du Walpurgis classique*, vers 19 : *dissonants* au lieu de *dissonnants* — vers 31 : *cadencée* au lieu de *cadensée* — *Monsieur Prudhomme*, vers 13 : *coryza* au lieu de *coriza* — *Nevermore* (« Allons, mon pauvre cœur... »), vers 2 : *peins* au lieu de *peints* (*1894*) — *Femme et Chatte*, vers 13 : *Tintait* au lieu de *Teintait* (*1894*) — *Dans les bois*, vers 9 : *comme l'onde,* au lieu de *comme l'onde* sans ponctuation — *Nocturne parisien*, vers 17 : *endormies,* au lieu de *endormies* sans ponctuation — *Marco*, vers 4 : *cahute* au lieu de *cahutte* — *César Borgia*, vers 22 : *S'élançant* au lieu de *Élancée* (*1866*) — *La Mort de Philippe II*, vers 57 : *vigne.* au lieu de *vigne* sans ponctuation ; vers 58 : *marmottement,* au lieu de *marmottement* sans ponctuation ; vers 112 : *tombeaux* au lieu de *tombeau* — *Épilogue*, vers 4 : *sœur.* au lieu de *sœur* sans ponctuation.

L'orthographe est modernisée pour le mot *poète*, au lieu de *poëte*, et pour l'adverbe *très*, sans trait d'union avec l'adjectif ou l'adverbe qui suit, par exemple : *très lentement* au lieu de *très-lentement* (*Nuit du Walpurgis classique*, vers 28 ; *César Borgia*, vers 10 ; *La Mort de Philippe II*, vers 114 ; *Épilogue*, vers 54).

VARIANTES ET NOTES

« *Les Sages d'autrefois...* » (p. 21).

Choix de poésies, Bibliothèque Charpentier, 1891.

Dédicace À EUGÈNE CARRIÈRE, *CP 1891*

L'édition du *Choix de poésies* (1891) est précédée d'un portrait de Verlaine d'après une lithographie d'Eugène Carrière.

Ce poème liminaire fut sans doute composé lorsque Verlaine remplaça le titre annoncé en 1865, *Poèmes et Sonnets*, par celui de *Poèmes saturniens*. Le mot « saturnien » et l'idée de placer son recueil sous le signe de Saturne, astre tutélaire de la mélancolie, lui viennent de Baudelaire, dont l'*Épigraphe pour un livre condamné* — c'est-à-dire *Les Fleurs du mal* (1857) —, publié le 15 septembre 1861 dans la *Revue européenne*, avait été repris dans *Le Parnasse contemporain* (5e fascicule, 28 mars 1866), en tête des quinze pièces recueillies sous le titre *Nouvelles Fleurs du mal*. Il y avait pu lire ces vers :

> *Lecteur paisible et bucolique,*
> *Sobre et naïf homme de bien,*
> *Jette ce livre saturnien,*
> *Orgiaque et mélancolique*

Le portrait des Saturniens, par tradition promis au malheur, forme le sujet de cette pièce, typographiquement détachée des autres par l'italique et la disposition en haut et à droite de la page, en guise d'avertissement au lecteur. D'autres influences ont pu s'exercer : celle de l'auteur des *Chimères* (1854), et surtout d'*El Desdichado* ; celle de Victor Hugo, dont les deux premiers poèmes du troisième livre des *Contemplations* s'intitulent *Melancholia* et *Saturne* (voir Bornecque, 1952, pp. 121-122).

1. Les Sages d'autrefois : les astrologues, peut-on penser à la lumière des vers suivants. En effet, selon la tradition astrologique, le destin de chaque être serait déterminé par les astres, et plus particulièrement situé sous l'influence d'une planète, qui préside à ses « bonheurs » et à ses « désastres ». Les planètes détermineraient aussi le tempérament : flegmatique sous le signe de la Lune, colérique sous celui de Mars, sanguin sous celui de Jupiter, enfin mélancolique sous l'égide de Saturne. Les traits des Saturniens selon Verlaine renvoient à une vulgate où se combinent plusieurs croyances anciennes,

en particulier la doctrine humorale, qui subordonne le tempérament mélancolique à la bile noire (v. 11) et l'idée héritée de
la philosophie antique que le mélancolique est possédé par
une imagination excessive (v. 12).

2. Cf. Victor Hugo (*Les Contemplations*, IV, 8) :

L'âme sans fond tient-elle aux étoiles sans nombre ?
Chaque rayon d'en haut est-il un fil de l'ombre
      Liant l'homme aux soleils ?

3. Lieu commun des théories philosophiques du rire : le
rire « ridicule », ou digne de risée, se retourne contre lui-
même et trahit l'infirmité du rieur. Baudelaire développe cette
idée, lorsqu'il dit du rire, « satanique » donc « profondément
humain », qu'il est « essentiellement contradictoire, à la fois
signe d'une grandeur infinie et d'une misère infinie », mais
qu'il trahit le plus souvent en l'homme une dérisoire
« croyance à sa propre supériorité » (*De l'essence du rire et
généralement du comique dans les arts plastiques*). Ainsi rire
d'un savoir qu'on raille signifie qu'on croit en savoir plus, et,
chose éminemment risible, qu'un savoir absolu est possible.
On peut sourire du laconisme prétentieux du paradoxe, lour-
dement souligné par le jeu étymologique.

4. Qui abuse, trompeur.

5. Du mystère de l'influence possible des astres, dont on ne
perçoit l'éclat que la nuit.

6. « Planète froide, malfaisante, ennemie de la nature de
l'homme et des autres créatures » selon le positiviste Littré
— qui représenterait assez bien les railleurs plus haut dénon-
cés —, Saturne, qui gouverne la mélancolie dans la tradition
antique, en possède l'ambivalence. Il est aussi le *juvans pater*
(le père plein de sollicitude) des hommes d'esprit et l'*intellec-
tualis deus* (le dieu d'intelligence pure). De même la morosité
et la tristesse accablante des mélancoliques se comprennent
comme le revers de leur supériorité : êtres hors du commun
selon Aristote, ils sont en particulier poètes. Saturne apparaît
ainsi comme le patron du génie poétique.

7. Fauve, de *fulvus* qui vient de *fulgere*, « briller » : de couleur rousse ou roussâtre. Dans une nouvelle publiée en 1867
(*Le Poteau*, dans *Le Hanneton*, 25 septembre), Verlaine écrit :
« Farouche, dans un coin, Saturne luisait rouge. » Sur son
goût pour l'adjectif « fauve », sans doute venu de son fréquent
emploi chez Hugo et aussi chez Gautier, voir le *Prologue*
(v. 15 : « pénitents fauves »), *Lassitude* (v. 10 : « fauve passion »), *La Mort de Philippe II* (v. 65 : « mourant fauve »). De
l'emploi de cet adjectif vidé de son sens littéral, plusieurs

exemples se rencontrent chez Victor Hugo, comme « fauve bruit » dans « La vision d'où sort ce livre » (*La Légende des siècles*), parfois métaphoriquement justifiés :

> *Il faut que, par instants, on frissonne et qu'on voie*
> *[...] Un vers fauve sortir de l'ombre en rugissant !*

(Les Contemplations, I, XXVIII)

8. Ceux qui, dans l'Antiquité, évoquaient les morts pour apprendre d'eux l'avenir ou une chose cachée. Par extension : magiciens en général.

9. Formulaires à l'usage des magiciens et des sorciers, qui en faisaient usage pour évoquer les morts et l'esprit malin.

10. C'est-à-dire bile noire. Les saturniens ou mélancoliques souffrent, selon la doctrine antique des tempéraments, d'un excès de bile noire (mélancolie, lat. *melancholia*, du grec μελαγχολία < μέλαινα (noire) χολή (bile).

11. L'imagination « inquiète » (sans repos) et « débile » (affaiblie par la maladie) correspond à l'idée de la mélancolie héritée de la tradition : mélange du génie, dû à la puissance imaginative (*vis imaginativa*) excessive des mélancoliques, « enclins à suivre leur imagination » (ἀκολουθητικοί τῇ φαντασίᾳ) selon Aristote, et de la maladie, née du déséquilibre des humeurs, qui expose à la déraison et à la folie.

12. Selon certaines doctrines, la mélancolie résultait de la corruption du sang. On trouve chez Baudelaire plusieurs images du sang perverti des spleenétiques : dans *Spleen* (*Les Fleurs du mal*, LXXVII) : « ce cadavre hébété / Où coule au lieu de sang l'eau verte du Léthé » ; dans *L'Heautontimoroumenos* (*Les Fleurs du mal*, LXXXIII) : « C'est tout mon sang, ce poison noir ». En particulier, la bile noire viendrait du sang aduste, c'est-à-dire subtilisé et brûlé par une excessive chaleur. Les trois adjectifs choisis par Verlaine peuvent se comprendre dans ce sens : subtil (lat. *subtilis*, délié, ténu, très fluide. Subtilisation : fait de rendre subtil par la chaleur), brûlant et rare (lat. *rarus*, peu dense).

13. Grésiller : froncer, racornir par l'effet de la chaleur. Le mélancolique selon la tradition est à la fois prédestiné à poursuivre l'Idéal et condamné à l'échec et au malheur par l'excès même de son ambition.

14. Ceux qui, nés ou se trouvant sous l'influence de Saturne, sont voués à la mélancolie. Sur l'interprétation saturnienne du caractère de Verlaine, voir J.-H. Bornecque, 1952, pp. 13-14. Voir aussi Verlaine, dans *Parallèlement* :

> *J'ai perdu ma vie et je sais bien*

> *Que tout le blâme sur moi s'en va fondre,*
> *À cela je ne puis que répondre*
> *Que je suis vraiment né Saturnien*

Bruxelles, prison des Petits-Carmes, juillet 1873.

et dans *Épigrammes* :

> *Mais j'ai ratiociné*
> *Tant que je finis par croire*
> *À de l'art conjuratoire*
> *Et que je suis* destiné

15. Jusqu'au xviie siècle, influx supposé provenir du ciel ainsi que des astres et agir sur les hommes et les choses. *Maligne* : mauvaise et morbide.

PROLOGUE (p. 25)

Vers 22 Sparte *1890 1894*
Vers 76 sur leur front *1894*

1. Le *Prologue* et l'*Épilogue*, qui encadrent trente-sept pièces, marquent le souci de donner au recueil, placé sous l'invocation du Parnasse, une apparence d'ordre et de lui assigner une intention poétique d'ensemble, qui lui garantirait une certaine unité. De ce souci de composition, plus propre à la poésie dramatique et à l'épopée, peu d'exemples se rencontrent dans la poésie romantique ou dans celle des devanciers immédiats de Verlaine, où domine le recueil, ordonné ou non en sections, souvent unifié autour d'une forme poétique, comme les *Odes* ou les *Odes et Ballades* d'Hugo, et comme le recueil qu'annonçait Verlaine en 1865 sous le titre *Poèmes et Sonnets*. Hugo en témoigne cependant dans *Le Satyre* (*La Légende des siècles*); Victor de Laprade ouvre sa *Psyché* (1841) par une *Invocation* à la manière de Lucrèce et la clôt d'un *Épilogue*; un autre exemple se trouve dans la *Philoméla* (1863) de Catulle Mendès.

Le *Prologue* oppose un âge d'or mythique de la poésie (v. 1-50) à l'ère moderne (v. 51-102), où le divorce entre l'Action et le Rêve contraint le Poète à l'isolement. Le premier mouvement distingue trois tableaux : l'Inde antique, la Grèce, l'âge médiéval. L'influence de Leconte de Lisle y est visible dans le choix du décor exotique et dans la graphie archaïsante des noms propres pour le premier tableau ; dans le souvenir de *La Chanson de Roland* prévaut celle de l'auteur de *La Légende des siècles*. D'autres réminiscences, baudelairiennes surtout, affleurent dans le second mouvement. Le pastiche de Leconte de Lisle, trop voulu pour n'être pas conscient, pourrait trahir un certain opportunisme littéraire, encore que la spontanéité mimétique de Verlaine incline plutôt à penser, comme

J.-H. Bornecque, que, dans ce *Prologue* irisé de réminiscences, le jeune poète cherche plus sincèrement un « essai de synthèse conciliatrice des idées du chef des Parnassiens et de celles de Baudelaire » (1952, p. 145. Et sur la diversité des influences, pp. 67-74). L'écho du *Prologue* se discerne chez Rimbaud, dans *Soleil et Chair* et dans l'historique de la poésie antique jusqu'à nos jours qu'il trace pour le poète Paul Demeny (lettre du 15 mai 1871).

2. Épidictique à valeur emphatique analogue au latin : *illis temporibus*. L'engouement momentané de Verlaine pour l'Inde légendaire est dû surtout à L.-X. de Ricard, son ami depuis 1862, qui avait publié dans sa *Revue du Progrès*, en mars 1863, un épisode du *Bhagavat Gîta*, traduit par son oncle, l'orientaliste G. Pauthier, sous le titre *Le Sankhya-Yoga ou la Doctrine de la philosophie Sankhya*. Il avait donné lui-même des poèmes inspirés par les mythologies de l'Inde et sans doute excité l'intérêt de Verlaine pour les grandes œuvres de la littérature hindoue, en particulier le *Ramayana* du poète Valmiki : « J'en suis à la moitié du *Ramayana* », écrit-il à Ricard le 31 mai 1865. Le même Pauthier avait traduit et préfacé l'épisode du *Mahabharata* consacré à Sâvitri dans *La Pléiade. Ballades, fabliaux, nouvelles et légendes* dont Verlaine s'inspire dans son poème de ce titre (voir *Çavitrî*, note 1).

3. Dans la topographie catholique, ce mot désigne le séjour des âmes de ceux qui n'ont pas reçu le baptême. Au sens figuré : un état vague et incertain d'attente, le plus souvent coloré de tristesse. Ici : les temps légendaires et incertains qui précèdent le temps historique.

4. Souverains de l'Inde, ancêtres de Rama, dont Kalidasa relate la légende dans le *Rhagou-Vança*. La traduction en deux volumes des *Œuvres complètes* de Kalidasa par Hippolyte Fauche avait paru en 1859 et 1860.

5. Quelques allusions au fard employé pour le visage et le corps figurent dans le *Raghou-Vança* (voir Robichez, 1995, p. 492).

6. *Ganga*, déesse personnifiant le Gange, dont Verlaine a pu trouver mention chez Leconte de Lisle, dans *Baghavat* (*Poèmes antiques*, 1852 ; repris dans *Poésies complètes*, Poulet-Malassis et De Broise, 1858) :

[...] *Mais la blanche déesse,*
Ganga, sous l'onde assise entendit leur détresse.

ou emprunter à Catulle Mendès, grand zélateur du thème hindou dans *Le Parnasse contemporain* de 1866, et surtout « pasticheur fait homme » (G. Zayed), comme peut-être Verlaine lui-même dans cette partie de son *Prologue*. Les noms « Ganga » et « padmas » se retrouvent dans *Nocturne parisien*, v. 27-28.

7. Latinisme (accusatif d'objet interne).

8. Voir Leconte de Lisle, *Bhagavat* (*Poèmes antiques*) :

> *Il était en principe, unique et virtuel,*
> *Sans forme et contenant l'univers éternel.*
> *Rien n'était hors de lui, l'abstraction suprême !*
> *Il regardait sans voir et s'ignorait soi-même.*

9. Le *Bhagavad-Gîta* (« *le Chant du Divin Seigneur* »), poème sanskrit de 700 vers, forme l'épisode le plus célèbre du *Mahabharata* (Livre VI, 23-40), qui contient l'enseignement de Bhagavat, sur l'essence de la dévotion et sur le devoir personnel accompli sans désir et sans attachement aux fruits de ses actes. Véritable abrégé de la spiritualité hindoue, il a suscité d'innombrables commentaires et traductions. Du « Néant suprême », qui est renoncement à la Maya, illusion formée par les apparences sensibles, Leconte de Lisle donne une illustration dans *Çunacepa* (*Poésies complètes*, *Poèmes et Poésies*, Poulet-Malassis et De Broise, 1858, pp. 228-232) :

> *Tu vas sortir, sacré par l'expiation,*
> *Du monde obscur des sens et de la passion,*
> *Et franchir, jeune encor, la porte de lumière*
> *Par où tu plongeras dans l'essence première.*

10. Variation sur le thème du monde pur et beau des origines, dont les illustrations abondent chez Leconte de Lisle, chez Banville (*La Voie lactée*, dans *Les Cariatides*), chez Baudelaire (« J'aime le souvenir... », *Les Fleurs du mal*, V), ou encore chez Musset (*Rolla*, *Poésies nouvelles*) et Hugo (*Le Sacre de la femme*, dans *La Légende des siècles*). L.-X. de Ricard, rappelle J. Robichez (1995, p. 494), s'était aussi essayé sur ce thème dans *Ciel, Rue et Foyer*, en particulier dans le tableau hindouisant des *Deux Pôles* et dans *Aphrodîtê anadyomenê* :

> *C'était un des matins de la vie Éternelle.*
> *La jeune Aube riait sur le jeune univers.*

11. L'hypallage à la manière hugolienne trahit le modèle de cette longue personnification de la nature, nettement articulée par la proposition principale (« entendaient ») et la subordonnée temporelle (« Cependant que [...] voyaient »), pesamment scandée par la répétition des sujets du v. 7, « la terre et la mer et le ciel », inversés au v. 13, « le ciel et la mer et la terre », et par celle des v. 12 et 16, « les Poètes sacrés [...] les Guerriers saints » / « les Guerriers saints [...] les Poètes sacrés », incrustée de quinze épithètes, et construite comme une période.

12. Sur le « pacte primitif » (v. 52) des poètes et des guerriers, qui donne naissance à la poésie épique, Francis Génin avait exprimé des idées analogues dans le préambule de sa traduction de *La Chanson de Roland, poème de Théroulde* (Imprimerie nationale, 1850) : « Achille, Agamemnon, comme Roland et Charlemagne, ne soupçonnaient pas qu'ils fussent des héros épiques, non plus qu'Homère et Théroulde ne poursuivaient pas la gloire de bâtir une épopée. Guerriers comme poètes, ils obéissaient à un instinct. » Banville le cite comme une référence obligée dans son *Petit Traité de poésie française* (1872).

13. Le mot « austère », c'est-à-dire « qui se montre sévère pour soi, retranché sur ses aises et sur ses plaisirs », un peu inattendu, pourrait cependant qualifier avec pertinence l'action de ces guerriers et de ces poètes imprégnés de la spiritualité hindoue, dont l'impératif essentiel dicte d'agir en se privant du fruit de ses actes. L'austérité paraît aussi un caractère obligé du brahmane chez Leconte de Lisle, dans *Bhagavat* (*Poèmes antiques*) :

> *Les Brahmanes muets et de longs jours chargés,*
> *Ensevelis vivants dans leurs songes austères.*

ou encore dans *Çunacepa* (*Poésies complètes, Poèmes et Poésies*, Poulet-Malassis et De Broise, 1858, p. 230) :

> *Et ne me troublez plus dans mes austérités.*

14. Fauves : voir « Les Sages d'autrefois... », note 7. *Timorés*, du lat. *timor*, « crainte, effroi » : remplis d'une crainte religieuse (*timor* se rencontre avec ce sens précis chez Lucrèce et chez Horace). Voir *La Mort de Philippe II*, v. 127.

15. Connexité : lien étroit entre deux objets. *Alme*, du lat. *almus* : nourrissant, nourricier — épithète poétique employée par Lucrèce et par Horace, popularisée par l'expression *alma mater*. Le vers tout entier — substantif abstrait particularisé par l'article indéfini, adverbe enflé par la diérèse, latinisme de l'épithète — caricature la manière épique de Hugo et aussi celle de Leconte de Lisle.

16. Kçhatrya : guerrier. Voir Leconte de Lisle, *Çunacepa* :

> *Et mille Kçhatryas, grands, belliqueux, armés,*
> *Tiennent du Pavillon tous les abords fermés.*

17. La vie de *Rama* est relatée dans le *Ramayana* (« la geste de Rama »), épopée indienne en sanskrit attribuée au poète Valmiki, composée de 24 000 strophes, qui fut traduite par H. Fauche en 1854-1858.

18. Nom du lotus, que Verlaine avait pu lire dans l'un des poèmes inspirés à L.-X. de Ricard par l'exotisme hindou, *Les Deux Pôles* (*Ciel, Rue et Foyer*), où paraissent « les déesses des fleuves », « le front ceint de padmas ».

19. Transcription du nom grec « Ἕλλας », que Verlaine, imitant ou pastichant Leconte de Lisle, préfère, pour ce tableau à l'antique, à la dénomination courante héritée du latin, « Grèce ». Il choisit dans la même intention la graphie prétendue conforme à la prononciation antique des noms d'Orphée, Alcée et Homère, représentants de la poésie grecque orphique, lyrique et épique, et de ceux d'Hector, Ulysse et Achille, héros guerriers de l'épopée homérique. Verlaine enchérit, non sans ironie, sur Leconte de Lisle lui-même, constate J.-H. Bornecque (1952, p. 146), qui cite le mot de Victor Hugo, rapporté par Verlaine, lors de sa première visite au maître : « M. Leconte de Lisle est un poète très remarquable, mais je connais Achille, Vénus, Neptune : quant à Akhilleus, Aphroditè, Poséidon, serviteur... ».

20. Alcée, contemporain de Sapho, vécut au vi^e siècle avant J.-C. Lors de la guerre des Mytiléniens contre les Athéniens pour Sigée, Alcée, aux côtés de Pittacos, dut abandonner son bouclier aux mains des ennemis. S'il peut figurer comme combattant, il n'apparaît guère dans l'histoire comme un « héros altier ».

21. Les neuf Muses.

22. L'art d'Arès ou Mars selon la dénomination latine : la guerre.

23. Palme : emblème de l'apothéose. Voir Banville, *La Voie lactée* (*Les Cariatides*) :

> *Et le prix immortel d'une victoire lente,*
> *La Palme*

24. Ulysse, fils de Laërte (Λαερτιάδης). J. Robichez rapporte l'expression « Achille entre tous » à l'épisode de l'*Iliade* (IX, v. 186-189), qui montre Ulysse, héros guerrier, recevant les chefs grecs la lyre à la main (1995, p. 496).

25. Ulysse le subtil incarne l'habileté à persuader. L'expression *aurea dicta* (paroles d'or) figure chez Lucrèce (*De Rerum Natura*, 3, 12) : « *Omnia nos itidem depascimur aurea dicta* » (« Nous allons nous aussi nous repaissant de ces paroles d'or, toutes d'or » (trad. Ernout, Les Belles Lettres, 1955, I, p. 114). Dans Cicéron, l'adjectif *aureum* qualifie l'éloquence : « *flumen orationis aureum* » (*Academica*, II, 119). En grec, l'adjectif χρύσεος (d'or) qualifie les objets relatifs aux dieux et aux demi-dieux et se rencontre avec des connotations proches chez Homère (*Odyssée*, XII, 266) et chez Sophocle (*Œdipe Roi*, 89). On trouve dans le préambule (*À un ami*) des *Petits Châteaux de Bohême* (Didier, 1853) de Nerval une expression proche : « La Muse est entrée dans mon cœur comme une déesse aux paroles dorées. »

26. Ou Turoldus, considéré comme l'auteur de la version la plus ancienne de *La Chanson de Roland*, composée de laisses décasyllabiques assonancées. Francis Génin avait donné en 1850 une traduction de *La Chanson de Roland, poëme de Theroulde*. En 1893, dans la notice des *Hommes d'aujourd'hui* consacrée à André Lemoyne, Verlaine tient Théroulde pour l'un des trois plus grands poètes du Moyen Âge, à l'égal de Dante et de Villon. L'influence de l'auteur de *La Légende des siècles* est sensible dans cette troisième partie ; le poète se souvient du *Mariage de Roland* et d'*Aymerillot*. Il a lu aussi *La Mort de Roland* de Glatigny (*Les Flèches d'or*).

27. Olivier, comme l'archevêque Turpin, non sans avoir montré leur courage, trouvent la mort à Roncevaux sur le champ de bataille.

28. Leude : chez les Francs, grand vassal attaché à la personne d'un chef, d'un roi.

29. Même latinisme qu'au vers 3 (voir note 7).

30. Réminiscence de *La Légende des siècles* : « Charlemagne, empereur à la barbe fleurie » (*Aymerillot*, v. 1).

31. Aux époques passées, où l'action et la poésie étaient liées, s'oppose le temps présent, témoin du divorce de l'action et du rêve. L'idée se trouve déjà chez Gautier, dans *Ténèbres* (*Poésies diverses*, 1833-1838) :

> *Il est beau d'arriver où tendait son essor*
> *[...]*
> *D'unir heureusement le rêve à l'action.*

Verlaine se souvient surtout de la chute du *Reniement de saint Pierre* (*Les Fleurs du mal*, CXVIII) :

> *— Certes, je sortirai quant à moi satisfait*
> *D'un monde où l'action n'est pas la sœur du rêve.*

Si l'opposition de termes vient de Baudelaire, l'idée de la séparation du poète et de la cité peut s'être présentée à Verlaine sous maintes formes, chez Théophile Gautier, chez Victor Hugo, chez Musset (voir *Premières Poésies, Les Vœux stériles*, vers 3-4 et 121-122), et en particulier chez Leconte de Lisle, dont la préface aux *Poèmes antiques* (1852) contient le même constat accompagné de la même invitation à l'isolement pour le poète en mépris des bassesses du vulgaire :

> *La Poésie, réalisée dans l'art, n'enfantera plus d'actions*
> *héroïques ; elle n'inspirera plus de vertus sociales [...].*
> *Aussi, êtes-vous destinés, sous peine d'effacement définitif,*
> *à vous isoler d'heure en heure du monde de l'action, pour*
> *vous réfugier dans la vie contemplative et savante, comme*
> *en un sanctuaire de repos et de purification. / Depuis*
> *Homère, Eschyle et Sophocle, qui représentent la poésie*
> *dans sa vitalité, dans sa plénitude et son unité harmonique,*
> *la décadence et la barbarie ont envahi l'esprit humain.*

Rimbaud, récent lecteur des *Poèmes saturniens*, fondera sur cette nostalgie de l'ancienne fonction du poète, cliché de l'époque des « mages romantiques » (P. Bénichou), un nouveau programme aux accents millénaristes : « La Poésie ne rythmera plus l'action : elle sera *en avant* » (lettre à Paul Demeny, 15 mai 1871).

32. Voir Banville, dans *La Voie lactée* (*Les Cariatides*), cette adresse à Homère :

> *Tu mis les deux secrets qui tordent l'univers*
> *La Force et la Beauté, duo plein d'harmonie.*

33. Dans la lettre de Rimbaud citée plus haut (note 31), cet écho perceptible :

> *En Grèce, ai-je dit, vers et lyres rythment l'action.*

34. Fuligineux : noir comme la suie, et au sens figuré : fumeux, obscur.

35. Autre hypallage, plus hardi dans l'association du nom abstrait et des adjectifs qualificatifs de couleur. Rimbaud s'essaiera à son tour à ces effets brutaux, dans « les rouges froissements » du *Chant de guerre parisien* par exemple.

36. Dans *À Don Quichotte* (mars 1861) se trouve déjà cette image des poètes :

> *Hurrah ! nous te suivons, nous, les poètes saints*
> *Aux cheveux de folie et de verveine ceints.*

La figure du poète sacré est un cliché des doctrines romantiques. Elle est illustrée par Hugo, par exemple, dans *Fonction du poète* (*Les Rayons et les Ombres*) :

> *Peuples ! écoutez le poète !*
> *Écoutez le rêveur sacré !*
> *Dans votre nuit, sans lui complète,*
> *Lui seul a le front éclairé !*
> *[...] Homme il est doux comme une femme.*

ou encore dans le Livre I des *Contemplations* (XXVIII) :

> *Il faut que le poète, épris d'ombre et d'azur,*

> *Esprit doux et splendide, au rayonnement pur,*
> *Qui marche devant tous, éclairant ceux qui doutent,*
> *Chanteur mystérieux [...]*

Verlaine avait trouvé, du poète saint en exil sur la terre, un exemple récent dans *Bénédiction* (*Les Fleurs du mal*, I).

37. Au sens strict, l'apothéose est le fait d'être élevé au rang des dieux.

38. Comme celles du poète en exil dans ce monde, nombreuses sont aussi, dans la poésie romantique, les images du poète tournant le dos à son temps. Aux vers 76-78 transparaît peut-être le souvenir de *L'Exil des dieux* de Banville (*Le Parnasse contemporain*, 1866).

39. Que le Beau soit le but exclusif de la poésie, Verlaine en avait lu chez Baudelaire l'assertion réitérée, en particulier dans les *Notes nouvelles sur Edgar Poe* (1857), qui nourrissent ses théories poétiques de 1865 (*Charles Baudelaire*, dans *L'Art*); il en avait aussi retenu le bréviaire des hérésies poétiques, la passion, la vérité et la morale, et l'impératif catégorique, l'« immortel instinct du Beau », illustré en plusieurs poèmes des *Fleurs du mal*, par exemple dans « Que diras-tu ce soir » (XLII) :

> [...] « *Je suis belle, et j'ordonne*
> *Que pour l'amour de moi vous n'aimiez que le Beau* »,

et dans *Le Flambeau vivant* (XLIII) :

> *Ils conduisent mes pas dans la route du Beau*

et surtout dans *La Beauté*, dont la réminiscence imprègne aussi les vers 87-88 et dont l'imagerie combinait déjà, avant l'éclectique déclaration de Verlaine, la voix propre de Baudelaire et quelques signes d'allégeance au maître de l'Art pour l'Art et aux doctrines pré-parnassiennes.

40. Voir dans « Les Sages d'autrefois » les vers 14 à 16, qui opposent la tristesse d'une voix baudelairienne plus proche de celle de Verlaine à l'emphase tout hugolienne qui résonne dans le programme triomphant de l'*Épilogue* (v. 84-85).

41. Réminiscence de Baudelaire, *La Beauté* (*Les Fleurs du mal*, XVII) :

> *Car j'ai, pour fasciner ces dociles amants,*
> *De purs miroirs qui font toutes choses plus belles :*
> *Mes yeux, mes larges yeux aux clartés éternelles !*

Voir *Grotesques*, v. 17-19.

42. Verlaine songe-t-il au Victor Hugo des années 1830-

1860, auquel il reprend la figure du poète exilé de la cité et dont il rejette l'optimisme politique (opiniâtre jusqu'aux *Contemplations*), en jeune homme de son temps pour qui l'utopie du poète-guide est désuète, et l'exemple du dédain politique à la Leconte de Lisle beaucoup plus actuel ?

Aulique, du lat. *aula*, cour : qui appartient à la cour ou au conseil d'un prince. Cet archaïsme se retrouve dans *Nuit du Walpurgis classique* (v. 13).

43. Graphie prétendue plus conforme à la prononciation antique de « cithare », employée par Leconte de Lisle.

44. Voir *À une femme*, v. 2, et *Grotesques*, v. 18.

45. La tradition de l'adresse de l'auteur à son livre remonte à Ovide (*Tristes*, v. 15). Verlaine en reprend peut-être l'exemple à Ronsard (*À mon livre. Sonet* : pièce liminaire de l'édition de 1584 des *Œuvres*) :

> *Va Livre, va, desboucle la barrière*

Il lui emprunte aussi la métaphore équestre développée dans le même sonnet pour son *Épilogue* (II, 4). Hugo illustre à plusieurs reprises cette tradition, en particulier dans la préface des *Feuilles d'automne*, sous l'autorité d'Ovide : « Il laisse donc aller ce livre à sa destinée, quelle qu'elle soit, *liber, ibis in urbem*, et demain il se tournera d'un autre côté. Qu'est-ce d'ailleurs que ces pages qu'il livre ainsi, au hasard, au premier vent qui en voudra ? »

MELANCHOLIA (p. 29)

1. Le catalogue Blaizot de la vente du 12 mars 1936 mentionne un recueil de poésies autographes (13 pages in -8°) intitulé *Melancholia*, qui correspond à la section des *Poèmes saturniens* portant ce titre, augmentée des pièces IV et V de la section *Eaux-fortes*, *Effet de nuit* et *Grotesques*. Par son titre, la première section des *Poèmes saturniens* se trouve doublement placée sous le signe de la mélancolie. Est-il repris de celui qui figure sur la célèbre gravure de Dürer, *Melencolia I* ? Verlaine l'a connue, puisqu'il mentionne, mais plus tard, dans une lettre à E. Lepelletier du 8 novembre 1872 contenant une liste d'objets siens à faire reprendre au domicile de ses beaux-parents, deux eaux-fortes de Dürer, « la *Melanchoia* ; *Saint-Jérôme* ». La gravure de Dürer est cependant déjà entrée en poésie. Elle a inspiré à Gautier sa *Melancholia* (*Poésies complètes*, 1862), qui oppose la grave Mélancolie représentée par Dürer à la mièvrerie de la mélancolie moderne. Henri Cazalis a publié une pièce intitulée *Devant la Melencholia d'Albert Dürer* dans *Le Parnasse contemporain* de 1866 et il

intitulera *Melancholia* un recueil publié deux ans plus tard
(Alphonse Lemerre, 1868). Ce titre se trouve auparavant chez
Hugo, où il désigne la deuxième pièce du livre III des *Contemplations*. Ainsi ce peut être plutôt le titre littéraire, à l'orthographe plus courante, que Verlaine emprunte pour baptiser
ses propres essais sur les tristesses de l'âme. La diversité des
pièces ment cependant un peu au titre. Plus que dans le thème
annoncé, l'unité de la première section se perçoit dans les
variations sur une seule forme : le sonnet. Sur l'ensemble des
huit pièces, quatre se modèlent sur sa forme canonique (deux
quatrains et deux tercets d'alexandrins sur cinq rimes, abba/
abba/ccd/ede, mettant en relief, dans la composition du sizain
final, le choix du distique suivi d'un quatrain final à rimes
croisées) : *Après trois ans* (III), *Vœu* (IV), *Mon rêve familier*
(VI), *L'Angoisse* (VIII). *Résignation* (I), sonnet renversé de
décasyllabes (deed/cc/abba/abba), mètre en usage dans cette
forme à sa naissance, rappelle le sonnet italien employé par
Ronsard, dont le souvenir revient souvent dans le recueil.
Nevermore (II), sonnet d'alexandrins sur quatre rimes (aaaa/
bbbb/ccb/dbd), tente, sur une pente toute verlainienne, d'en
dire plus par la monotonie formelle imposée au sonnet que
par la figuration verbale de la chose évoquée. Dans *Lassitude* (V) et *À une femme* (VII), sonnets d'alexandrins sur cinq
rimes, qui illustrent chacun une forme du sizain (distique
suivi d'un quatrain à rimes embrassées : abba/abba/cc/deed et
quatrain à rimes croisées suivi d'un distique abba/abba/cdcd/
ee), la recherche porte dans le premier sur la richesse des
rimes et la modulation constante de leurs phonèmes, et dans
le second, comme dans *L'Angoisse*, sur le déplacement de la
césure et le prosaïsme voulu du vers.

2. Ernest Boutier, ami de Verlaine, féru de musique et vio-
loniste lui-même, amateur de poésie, avait présenté Verlaine
et quelques autres jeunes poètes à Alphonse Lemerre, qui
allait devenir l'éditeur des Parnassiens. Louis-Xavier de
Ricard rapporte sa rencontre, grâce à Verlaine et à Edmond
Lepelletier, avec Ernest Boutier, « garçon non sans littérature,
fort épris de latinisme et des poètes de la Pléiade et que sa pré-
dilection pour les poètes du XVIᵉ siècle avait mis en relation
avec un jeune libraire dont la boutique — sise passage Choiseul, 47 — portait pour enseigne : *Percepied; Alphonse
Lemerre, successeur* » (*Petits Mémoires d'un Parnassien*, cités
dans *Anthologie des poètes français contemporains* par G.
Walch, I, p. 202). Verlaine le mentionne dans deux lettres à
Lepelletier de la fin de 1864.

I. RÉSIGNATION (p. 31)

1. Voir *Confessions. Notes autobiographiques* (1895) : « Moi qui me figurais Paris tout en or et en perles fines, qui m'en étais créé une Bagdad et un Visapour. »

2. Ou Koh-i-noor (montagne de lumière). Diamant célèbre, possédé par le Grand Mogol, conservé à Delhi jusqu'en 1739, qui passa de mains en mains jusqu'à ce que la Compagnie des Indes l'offre en hommage à la reine Victoria. Banville l'évoque dans l'une des douze pièces insérées dans la deuxième édition des *Odes funambulesques* (Michel Lévy, 1859), *La Belle Véronique* : « Et si je vous disais : Je veux le Kohinnor ? »

3. Empereur romain du IIIe siècle, dont le règne favorisa l'invasion de Rome par les croyances et les mœurs orientales, image de débauche et de prodigalités inouïes.

4. Sardanapale IV, roi d'Assyrie, mort en 817 avant J.-C., célèbre pour sa vie voluptueuse et efféminée, battu par la Médie, la Perse et la Babylonie révoltées, s'enferma dans Ninive et se fit brûler sur un immense bûcher avec ses trésors et ses femmes. Cette figure de la volupté, du luxe et de la magnificence orientales fournit à Delacroix le sujet de sa célèbre toile, *La Mort de Sardanapale*, exposée pour la première fois en 1827, et dont Verlaine pouvait connaître l'impression sur Baudelaire qui, ayant revu la toile à l'Exposition Martinet, la décrivait ainsi en 1862 : « Une figure peinte donna-t-elle jamais une idée plus vaste du despote asiatique que ce Sardanapale à la barbe noire et tressée, qui meurt sur son bûcher, drapé dans ses mousselines, avec une attitude de femme ? Et tout ce harem de beautés si éclatantes, qui pourrait le peindre aujourd'hui avec ce feu, avec cette fraîcheur, avec cet enthousiasme poétique ? Et tout ce luxe *sardanapalesque* qui scintille dans l'ameublement, dans le vêtement, dans les harnais, dans la vaisselle et la bijouterie, qui ? qui ? »

5. Réminiscence possible des deux tercets dans le portrait du Prince, Sardanapale et Néron mêlés, que trace Rimbaud dans *Conte* (*Illuminations*), et où se lisent ces mots : « La foule, les toits d'or, les belles bêtes existaient encore. »

6. Verlaine a sûrement lu la nouvelle de Gautier, *L'Eldorado* (publiée en 1837, puis en 1838 sous le titre *Fortunio*, et reprise dans *Nouvelles* en 1845), dont le héros, jeune nabab romantique, élevé en Inde, maître en érotisme, délibérément incendiaire, « Brummel et Sardanapale », s'est fait édifier secrètement parmi les boueuses rues de Paris un palais d'or, qui recèle « tous les raffinements du luxe asiatique et toutes les séductions du plus dévoué et du plus varié des harems » (chapitre XXIV).

7. Cette « belle folie », refrénée mais non résignée, qu'évoquent les deux tercets dans des images prudentes de « paradis physiques » tout légendaires, paraît mieux avouée dans un autre sonnet renversé, daté des environs de 1865, selon André Vial, et intitulé *Henri III*, où le poète célèbre « Le groupe des Mignons, splendide, fort et fier » (voir A. Vial, *Verlaine et les siens*, Nizet, 1975, p. 32).

8. Le deuxième tercet, qui oppose le renoncement apparent au « grandiose », autre abstraction prudente, à la haine persistante mais voilée du compromis et du tiède (v. 12-14) confirme la duplicité du titre : une résignation dans la lettre, non dans l'esprit.

II. NEVERMORE (p. 32)

L'Art, 30 décembre 1865.
Revue du xixe siècle, avril-juin 1867.
Choix de poésies, Bibliothèque Charpentier, 1891.

Vers 4 détone *1866* détone. *A 30.12.1865, CP 1891*
Vers 9 douce et rieuse, *A 30.12.1865*

1. Titre inspiré du poème d'Edgar Poe intitulé *Le Corbeau*, où le mot *nevermore* (jamais plus) clôt, comme un refrain, les strophes 11 à 18. Baudelaire en avait publié la traduction dans *L'Artiste* en 1853 (1er mars et 29 juillet) et dans la *Revue française*, précédée de *La Genèse d'un poème*, en 1859 (20 avril), avant de la reprendre à la suite des *Histoires grotesques et sérieuses* en 1865 (Michel Lévy). Même titre pour la pièce « Allons, mon pauvre cœur... » ainsi que pour le texte consacré à Élisa Dujardin et inséré dans les *Mémoires d'un veuf*, rebaptisé « À la campagne ». Cette similitude de titres incline J.-H. Bornecque à relier les deux pièces des *Poèmes saturniens* au souvenir d'Élisa (sur l'inspiration autobiographique des *Poèmes saturniens*, voir J.-H. Bornecque, 1952, pp. 90-97). La monotonie recherchée des rimes (aaaa/bbbb/cc/bdbd) trahit surtout le souci tout poétique de « peindre l'obsession » par le moyen sensible de l'homophonie répétée, dont Baudelaire avait commenté les effets variés chez Edgar Poe, en particulier à propos du *Corbeau*, dans sa préface aux *Nouvelles Histoires extraordinaires* (1857), qui nourrit l'article de Verlaine consacré en 1865 à Baudelaire (voir *Charles Baudelaire*, VI, *L'Art*, 23 décembre 1865 et Baudelaire, *Œuvres complètes*, Bibliothèque de la Pléiade, t. II, 1976, pp. 335-336).

2. Faut-il lire « détone », qui suggère une détonation de la bise, rompant au vers 4 la monotonie suggérée par le quatrain ? ou corriger en « détonne » (fait une fausse note), qui s'accorde mieux à l'unité sémantique des mots à la rime, « atone » (sans tonalité) et « monotone » (sur une seule tonalité), comme le fait J. Robichez (1995, p. 503)? Le choix de la monotonie formelle, celle des quatre rimes (autom*ne*/ ato*ne*/ monoto*ne*/ déto*ne*), a pu l'emporter ici sur celui du sens facile, les deux verbes suggérant l'un comme l'autre l'idée de rupture sonore.

3. L'expression « voix d'or », qui n'est pas au nombre des locutions figées, s'explique par l'analogie entre l'éclat de l'or et celui de la voix « douce et sonore ». Elle connote, comme dans le personnage de Blanche de Mortsauf, dotée elle aussi d'une « voix d'or » (*Le Lys dans la vallée*, éd. de R. Pierrot, Le Livre de Poche, 1984, p. 45), l'idée d'un angélisme féminin, que Verlaine souligne au vers 9 : « Sa voix douce et sonore, au frais timbre angélique ». L'expression rappelle la locution empruntée « parole d'or » (*Prologue*, v. 34). Une expression proche se trouve dans *La Bonne Chanson* (XI) : « Les notes d'or de sa voix tendre ».

4. Ce « sourire discret », c'est-à-dire réservé, qui tient lieu de « réplique », propose à la question posée au vers 8 : « Quel fut ton plus beau jour? » une réponse tacite mais non mystérieuse, que trahit, dans le dernier tercet, mis en retrait du dialogue par un tiret, l'aveu indirect de celui qui se souvient.

III. APRÈS TROIS ANS (p. 33)

Choix de poésies, Bibliothèque Charpentier, 1891.

1. Poème inspiré, selon J.-H. Bornecque, par le souvenir du jardin de la cousine de Verlaine, Élisa Moncomble, à Lécluse, où Verlaine avait séjourné en 1862, puis en 1865 (trois ans après), dont il donne un aperçu dans une lettre à Émile Blémont (29 juillet 1871) et mentionne « les vignes en arceaux » qui « encadrent très pompeusement d'admirables roses et d'énormes lys ». Le thème du passé revisité, sur les lieux qui en recèlent le souvenir, est banal. Le ton du poème rappelle celui de Lamartine dans *La Vigne et la Maison* (*Harmonies poétiques et religieuses*, 1830).

2. Voir *La Vigne et la Maison* : « Moi, le triste instinct m'y ramène : / Rien n'a changé là que le temps ».

3. Tonnelle : treillage en berceau couvert de verdure.

4. L'expression, au pluriel, fournit à Albert Glatigny le titre d'un recueil, *Les Vignes folles* (Librairie nouvelle, 1860), et celui du poème liminaire, qui en développe, non sans lourdeur, la métaphore (v. 1 et v. 7-8) :

Vignes folles, grimpez autour du monument.
[...] Vignes, prenez à l'entour vos ébats,
Montez, enlacez-vous aux colonnes fragiles.

5. Cet élément du décor, sans doute étranger au souvenir du jardin de Lécluse, serait plutôt emprunté à celui de la Pépinière du Luxembourg, lieu « désaffecté et saccagé à la fin de 1866, et dont bien des écrivains, poètes ou prosateurs, ont parlé comme d'un coin campagnard, plein de vignes et de roses, sous la protection de la Velléda, lieu favori des rendez-vous, au milieu d'un hémicycle de treillage rustique », écrit J.-H. Bornecque (1952, p. 155).

6. Peut se dire de toute allée rectiligne plantée d'arbres.

7. Des deux sortes cultivées, sans doute le *reseda odorata*, recherché comme plante d'ornement, particulièrement odoriférante (voir Barbey d'Aurevilly, *Le Dessous de cartes d'une partie de whist* dans *Les Diaboliques*, 1874). L'épithète « fade », impropre, à la suite de l'apposition « grêle », inattendue, suggère, comme le tiret le souligne, une brusque déclivité du sentiment, du bonheur vers un malaise diffus, que traduit souvent chez Verlaine la notion de fadeur, en somme sourdement annoncée par tous les éléments banals du « petit jardin » provincial (voir J.-P. Richard, « Fadeur de Verlaine », *Poésie et Profondeur*, Le Seuil, 1955).

IV. VŒU (p. 34)

Choix de poésies, Bibliothèque Charpentier, 1891.
Vers 1 oarystis *1866 corrigé en* oarystys
Vers 3 corps jeunes et clairs *CP 1891*

1. Il ne peut s'agir du nom du genre poétique, désignant chez les poètes grecs une poésie votive, comme chez leurs imitateurs de la Renaissance, entre autres Ronsard et Du Bellay. Le mot s'entend au sens de « souhait, désir ardent » selon Littré, et c'est en ce sens que Victor Hugo le donne pour titre à une pièce des *Orientales*. Encore ce désir, tourné ici vers le passé, a-t-il toutes les apparences du regret, si ce n'est dans le deuxième tercet, constitué d'une phrase nominale exclamative, qui peut aussi bien évoquer dans le passé ou invoquer dans l'avenir « la femme à l'amour câlin et réchauffant » dont le poète esquisse l'image idéale.

2. Oarystys : mot emprunté au grec ὀαριστύς, « conversation familière et tendre », il signifie « idylle » ou « ébats amoureux » et intitule une idylle de Chénier, imitée de Théocrite.

3. Le caractère impersonnel des six premiers vers (phrases nominales exclamatives, pluriels — « maîtresses », « candeurs », « allégresses » —, banalité des qualifications — « cheveux d'or », « yeux d'azur ») contraste avec la chute (deuxième tercet), où affleurent souvenir et souhait plus personnels.

4. Devers, préposition vieillie : du côté de.

5. L'alliance inattendue du « printemps » et des « regrets » s'éclaire du contraste qui suit avec les « noirs hivers » et de la gradation des trois compléments : ennuis, dégoûts, détresses. Les « regrets » illustrent un « printemps », un premier temps de la nostalgie amoureuse, tandis que l'hiver figure la noire saison de la mélancolie, qui prélude à la solitude morne et désespérée évoquée dans le premier tercet et au désir ardent d'une féminité fraternelle et consolante, esquissée dans le deuxième tercet. La nostalgie des premières fois, des « premières fleurs », du « premier *oui* » s'exprime aussi dans *Nevermore*.

6. Si que, locution vieillie : de telle sorte que.

7. L'image de la « sœur aînée » prend peut-être naissance dans le souvenir d'Élisa, qui joua ce rôle auprès du jeune Verlaine et semble nourrir à plusieurs reprises l'idéal de la femme-sœur.

V. LASSITUDE (p. 35)

Choix de poésies, Bibliothèque Charpentier, 1891.

Vers 10 oliphant!... *1866 corrigé en* olifant!...
olifant... *CP 1891*
Vers 11 trompetter *1866 corrigé en* trompeter

1. Dans ce poème imprégné de réminiscences baudelairiennes, Verlaine se souvient en particulier du thème de *Sed non satiata* (*Les Fleurs du mal*, XXVI), titre emprunté au vers de Juvénal à propos de Messaline : « *Et lassata viris, necdum satiata recessit* » (*Satires*, VI, v. 130 : « Et, épuisée par les hommes, mais non encore assouvie, elle s'en va »). Le titre de Verlaine, « Lassitude », semble issu de la première partie du même vers, et annonce, quoique sur un ton tout différent, une exhortation analogue à l'apaisement des sens.

2. Dernier vers de *Première Solitude* : « Aux amoureux combats un champ de plume » (voir J. Robichez, 1995, p. 508).

3. Voir *Sed non satiata* : « *Par ces deux grands yeux noirs [...] / [...] verse-moi moins de flamme; / Je ne suis pas le Styx pour t'embrasser neuf fois* ». Et *Sonnet d'automne* (*Les Fleurs du*

mal, LXIV) : « — *Sois charmante et tais-toi ! [...] / Aimons-nous
doucement* ». À la ponctuation près, le vers 1 fournit l'épigraphe de la quatrième pièce des *Ariettes oubliées* dans les
Romances sans paroles, sous cette forme non exempte d'ironie : « De la douceur, de la douceur, de la douceur.
(Inconnu) ».

4. Déduit : divertissement, occupation agréable ; plaisir de
l'amour chez les poètes érotiques. Voir Baudelaire, *A une men-
diante rousse* (*ibid.*, LXXXVIII) : « *Maint seigneur et maint
Ronsard / Épieraient pour le déduit / Ton frais réduit !* »

5. Voir Baudelaire, *Chant d'automne* (*ibid.*, LVI) : « *Amante
ou sœur, soyez la douceur éphémère* ».

6. Langoureuse : en particulier, qui évoque la langueur
amoureuse. Voir *Ariettes oubliées, I* (*Romances sans paroles*) :
« C'est l'extase langoureuse, / C'est la fatigue amoureuse ».

7. Jalouse : passionnée. *Spasme* : contraction musculaire, et
en particulier spasme de l'orgasme. Obsesseur : comme substantif, selon Littré : celui qui obsède. Verlaine l'emploie aussi
comme adjectif dans la pièce intitulée *Dans les bois* : « Un
frisson passe / Et repasse [...], obsesseur ».

8. Ce consentement à l'illusion amoureuse fait écho au
thème de « l'amour du mensonge », que Baudelaire développe
dans les « Nouvelles *Fleurs du mal* », dans *L'Amour du mensonge* et dans *Semper eadem*, par exemple.

9. Peut-être une réminiscence ironique chez Rimbaud de ce
vers — ou de sa possible source : « en ton cher corps et en ton
cœur si doux » (*Le Balcon*, *Les Fleurs du mal*, XXXVI) — dans
Enfance I (*Illuminations*) : « Quel ennui, l'heure du "cher
corps" et "cher cœur" ». Voir aussi *Vœu*, v. 3.

10. Voir « *Les Sages d'autrefois...* », note 7, et *Prologue*,
v. 15.

11. Olifant : cor d'ivoire, taillé dans une défense d'éléphant.
Sonner l'olifant, par allusion à l'épisode de Roncevaux, rappeler l'armée, mais aussi réveiller l'ardeur.

12. Gueux : qui fait métier de demander l'aumône, puis : de
mauvaise conduite ; une gueuse : une femme de mauvaise vie
(Littré).

13. Sur le thème de l'amante fraternelle, Verlaine peut se
souvenir en particulier de Musset (*Namouna*, dans les *Premières Poésies*, 1854) :

   Une maîtresse aimée est si près d'une sœur !

> *Elle vient si souvent, plaintive et caressante,*
> *Poser, en chuchotant, son cœur sur votre cœur !*

ou de Baudelaire (*Le Balcon*) :

> *Et tes pieds s'endormaient dans mes mains fraternelles.*

VI. MON RÊVE FAMILIER (p. 36)

Le Parnasse contemporain, 1866.
Choix de poésies, Bibliothèque Charpentier, 1891.

Vers 11 aimées *CP 1891*

1. Le poème laisse indécis sur la nature de ce « rêve », songe doucement « obsesseur » ou souvenir d'une « autre existence peut-être », à la manière ambiguë de Nerval dans *Fantaisie* (publiée pour la première fois dans les *Annales romantiques* en 1832, avec pour sous-titre *Odelette*, puis dans *La Bohème galante* en 1851 et dans *Petits Châteaux de Bohème* en 1852). S'il est familier, c'est que ce rêve revient « souvent » (v. 1) ; il n'en reste pas moins « étrange », puisque le mystère de cette sorte de visitation persiste, comme l'indique le mouvement du poème, qui progresse à rebours vers des questions sans réponse (1er tercet) et vers l'idée d'une infrangible distance. Le thème du poème est de tonalité toute nervalienne. Dans *Fantaisie*, dans *Artémis* (*Les Chimères*, 1854), Nerval ébauche l'image nostalgique d'une femme tout ensemble inconnue et reconnue, présente et absente, âme sœur peut-être prédestinée.

2. Une autre résonance nervalienne se perçoit dans les termes qui expriment l'identité incertaine de la femme « au masque changeant » (*Isis* dans *Les Filles du feu*, 1854), et cependant la même, figure féminine tutélaire et aimante, dont *Artémis* résume l'inquiète nostalgie :

> *Celle que j'aimai seul m'aime encor tendrement.*

3. Dans *Les Poètes maudits*, Verlaine se souvient de ce vers de Marceline Desbordes-Valmore, bien proche de l'idée : « Inexplicable cœur, énigme pour toi-même » (voir A. Fongaro, « Sur Verlaine et Marceline Desbordes-Valmore », *Studi francesi*, n° 23, 1964, p. 289).

4. Autre source d'inspiration, l'Électre figurée par Baudelaire dans la dédicace « À J.G.F. » des *Paradis artificiels* (1860). La phrase « et les moiteurs de mon front blême, / Elle seule les sait rafraîchir, en pleurant » donne un écho à celle de Baudelaire « une Électre lointaine qui essuyait naguère son front baigné de sueur » (« À J.G.F. »). Voir aussi *Un mangeur* *d'opium* (*Œuvres complètes*, Bibliothèque de la Pléiade, t. I, p. 463).

5. Dans ce vers transparaît le filigrane de réminiscences mêlées, du « rêve de pierre » de Baudelaire, dans *La Beauté* : « Mes yeux, mes larges yeux aux clartés éternelles », mais aussi de l'image de la statue, qui clôt *Le Fou et la Vénus* (*Petits Poèmes en prose*, VII) : « Mais l'implacable Vénus regarde au loin je ne sais quoi avec ses yeux de marbre. » Et peut-être, suggère J. Robichez, perce un souvenir plus récent de *L'Impassible* (*Les Vignes folles*, 1860) — dédié par Glatigny « À Charles Baudelaire » et portant en épigraphe le premier vers de *La Beauté* — où se lit ce vers : « Mes yeux, comme les yeux mornes d'une statue ».

6. Ce vers, comme le vers 11, peut incliner à situer le poème sous le signe du souvenir d'Élisa. Il parachève aussi une variation sur le thème tout nervalien de l'Absente « que la Vie exila ». Voir *Artémis* : « C'est la Mort ou la Morte » (v. 7). Le travail du vers souligne la nature obsédante du « rêve » par divers procédés de répétition. Reprise de mots : « qui m'aime » (v. 2 et 4); « me comprend » (v. 4 et 5); « elle seule » (v. 6, 7 et 8). Récurrence de phonèmes, en particulier voyelles nasalisées et occlusives nasales, qui enrichissent les rimes en [ã] des deux quatrains et contribuent à imposer l'idée essentielle du poème (ex. : « Je fais souve*nt* ce rêve étra*nge* et pé*n*étra*nt* / D'u*ne* fe*mm*e i*n*co*nn*ue, et que j'aime, et qui m'aime); ou encore récurrence du phonème [ɛ], qui figure quatre fois à la rime : m'*ai*me/m*ê*me, probl*è*me/bl*ê*me, auquel la reprise de phonèmes en e fermé donne un contrepoint (ex. : « Pour *elle seule*, hélas ! *cesse* d'être un problème / Pour *elle seule*, *et les* moit*eurs de* mon front blême,/ *Elle seule les sait* rafraîchir, en pl*eu*rant »).

VII. À UNE FEMME (p. 37)

Choix de poésies, Bibliothèque Charpentier, 1891.

1. Seul titre du recueil à désigner un poème-dédicace, dont la tournure et l'inspiration suggèrent cependant une origine plus littéraire que personnelle. S'y lit une variation sur le thème baudelairien de la réversibilité (v. 1 à 4). La souffrance du poète y est traduite par un cauchemar expressionniste à la manière de Baudelaire dans *Sonnet d'automne* (*Les Fleurs du mal*, LXIV), et peut-être d'inspiration picturale (voir Bornecque, 1952, p. 161). Le caractère obsédant du cauchemar rappelle la hantise décrite dans *Obsession* (*Les Fleurs du mal*, LXXIX). La présence de Baudelaire est donc ici sensible. Verlaine condense toutefois en une seule figure féminine plusieurs figures baudelairiennes : celle de la femme rédemptrice illustrée dans *De profundis clamavi* ou *Réversibilité* (*Les Fleurs du mal*, XXX et XLIV) s'y combine à celles des fausses sœurs aux « soucis » trop légers pour répondre à la « détresse » du poète (voir *Semper eadem*, *ibid.*, XL et, de Gautier, *Melancholia*, dans *Poésies complètes*, 1862).

2. Voir *Prologue*, v. 99, et *Grotesques*, v. 18. L'expression se trouve chez Ronsard, dans *Madrigal* (*Le Premier Livre des Amours*, 1584) :

> *Rire et pleurer tout en mesme temps*
> *Douteusement le Soleil du printemps.*

Le motif du rire en pleurs est repris et renouvelé par Musset, que Gautier résume plus tard à son « rire trempé de larmes » (*Les Progrès de la poésie française depuis 1830*, Charpentier, 1874, p. 297). Il se rencontre par exemple dans *Octave* (v. 44-45) et dans *Namouna* (I, XVI, v. 1, et II, XVIII, v. 573), ainsi que dans les *Lettres de Dupuis et Cotonet* : « riant d'un œil et pleurant de l'autre » (*Œuvres en prose*, éd. de M. Allem, Bibliothèque de la Pléiade, 1960, p. 823. Voir aussi p. 835).

3. Voir Baudelaire, *De profundis clamavi* : « Du fond du gouffre obscur où mon cœur est tombé » (*Les Fleurs du mal*, XXX).

4. Jaloux : voir *Lassitude*, v. 7 et note 7.

5. Même mot dans *Les Sept Vieillards* (*Les Fleurs du mal*, XC), pièce tout entière consacrée à exprimer l'hallucination obsédante : « Ce sinistre vieillard qui se multipliait » (v. 36).

6. Voir Glatigny, *Fiat voluntas tua* (*Les Vignes folles*, 1860, p. 117) :

> *Et, comme un cortège de loups,*
> *J'entends, j'entends hurler tous les soupçons jaloux;*
> *J'ouvre les mains, plantez les clous !*

7. Sort : destinée.

8. Souvenir possible, selon J.-H. Bornecque (1952, p.161), de ces vers de Leconte de Lisle dans *Kain* (*Poèmes barbares*), seulement publiés en 1869, mais dont leur auteur avait pu donner la primeur aux familiers de son salon, parmi lesquels Verlaine :

> *Misérable héritier de l'angoisse première,*
> *D'un long gémissement j'ai salué l'exil.*

9. Églogue : ouvrage de poésie pastorale, où l'on introduit des bergers qui conversent ensemble (Littré), c'est-à-dire modèle de poésie délicate, vouée à la représentation idéalisée du sort humain. Dans *Après le Déluge* (*Illuminations*), Rimbaud dotera le terme et le genre sentimental qu'il emblématise d'une valeur délibérément péjorative en tournant en dérision « les églogues en sabots grognant dans le verger ».

10. *Au prix de* : locution prépositive vieillie : en comparaison de.

VIII. L'ANGOISSE (p. 38)

Le Parnasse contemporain, 1866 (*PC 1866*)

Titre ANGOISSE *PC 1866*
Vers 14 appareille *1866 corrigé en* appareille.

1. Le titre, dans son sens littéral, relie cette pièce au thème annoncé par celui de la section, *Melancholia*. L'angoisse désigne la constriction de la gorge, symptôme caractérisé du mélancolique et de l'hystérique — Baudelaire relie les deux notions dans son *Épigraphe pour un livre condamné*, dont le troisième vers a inspiré à Verlaine le titre des *Poèmes saturniens*. Le dégoût de toute chose, ou *taedium vitae*, et la crainte de la mort cependant désirée complètent cet autre tableau de la mélancolie, grandiloquent, trop littéraire et trop emprunté pour ne pas sembler un essai poétique plus qu'un aveu de l'âme. Rien ne manque à la liste des sources traditionnelles du lyrisme, que le poète, « impassible » pour l'occasion, ici récuse : la Nature, l'Art, l'Homme, la morale, Dieu, la pensée.

2. Allusion aux aspects figés du lyrisme de la nature, dont Virgile, souligne J. Robichez, peut fournir ici l'illustration canonique, dans ses *Géorgiques* (« champs nourriciers ») et dans ses *Bucoliques* (« pastorales siciliennes »). Quant aux célébrations diversement solennelles des crépuscules du matin et du soir, elles ne manquent pas dans la production romantique, jusqu'aux somptueuses images de *La Vie antérieure* (*Les Fleurs du mal*, XII), dont « la solennité dolente des couchants » paraît offrir un ironique raccourci :

> *Les houles, en roulant les images des cieux,*
> *Mêlaient d'une façon solennelle et mystique*
> *Les tout-puissants accords de leur riche musique*
> *Aux couleurs du couchant reflété par mes yeux.*
>
> *C'est là que j'ai vécu [...]*
> *Au milieu de l'azur [...]*
> *Et des esclaves nus, tout imprégnés d'odeurs,*
> *[...]*
> *Et dont l'unique soin était d'approfondir*
> *Le secret douloureux qui me faisait languir.*

3. L'image n'est cohérente que si elle évoque l'intérieur des tours. J. Robichez cite en ce sens Gautier (*Le Sommet de la tour*) :

> *Lorsque l'on veut monter aux tours des cathédrales,*
> *On prend l'escalier noir qui roule ses spirales,*
> *Comme un serpent de pierre au ventre d'un clocher.*

4. Du « ciel vide », Verlaine avait pu trouver des images suggestives chez Baudelaire, dans *L'Amour du mensonge* (*Les Fleurs du mal*, XCVIII) : « Plus vides, plus profonds que vous-mêmes, ô Cieux ! », ou encore dans *Les Aveugles* (*ibid.*, XCII) : « Que cherchent-ils au Ciel, tous ces aveugles ? » Mais l'image du ciel vide est un lieu commun de la désespérance romantique. Dans le *Discours du Christ mort* de Jean-Paul : « Dieu est mort ! le ciel est vide ! ». À sa suite, Nerval écrit dans *Le Christ aux oliviers* : « En cherchant l'œil de Dieu, je n'ai vu qu'un orbite / Vaste, noir et sans fond ».

5. Sous le titre de *À celle qui est tranquille*, poème publié dans *Le Parnasse contemporain* du 12 mai 1866 — repris en 1887 dans les *Poésies* avec le titre d'*Angoisse* —, Verlaine avait pu lire ces deux vers de Mallarmé :

> *Je fuis, pâle, défait, hanté par mon linceul,*
> *Ayant peur de mourir lorsque je couche seul.*

6. *Brick* : bâtiment à deux mâts dont le plus grand est incliné vers l'arrière. De cette image maritime de l'âme angoissée, un exemple proche se trouve chez Baudelaire dans *Les Sept Vieillards* (*Les Fleurs du mal*, XC, v. 51-52) :

> *Et mon âme dansait, dansait, vieille gabarre*
> *Sans mâts, sur une mer monstrueuse et sans bords !*

EAUX-FORTES (p. 39)

1. *Eau-forte* : l'un des principaux procédés de la gravure en creux sur métal ; il consiste à attaquer avec un mordant, à base d'acide acétique — eau-forte — une plaque de métal — zinc ou cuivre — protégée par un vernis sauf sur les parties portant les dessins, en sorte que l'acide creuse les lignes et les points, qui peuvent être ensuite bourrés d'encre en vue de l'impression. La grande liberté laissée à l'artiste par la technique de l'eau-forte la distingue des autres procédés de gravure en creux. On l'appelle aussi *gravure libre* ou *gravure des peintres*.

« L'eau-forte est à la mode », sous ce titre, Baudelaire publie en 1862 un éloge de l'eau-forte (*Revue anecdotique,* avril 1862), première version de *Peintres et aquafortistes* (*Le Boulevard*, 14 septembre 1862), et contribue à l'écho donné à la renaissance de cet art et à la création de la Société des aquafortistes (mai 1862), sous la houlette de l'éditeur Alfred Cadart. Baudelaire loue dans l'eau-forte un art profond et personnel, qui offre « la traduction la plus nette possible du caractère de l'artiste », mais dangereusement libre : « C'est si commode de promener une aiguille sur cette planche noire qui reproduira trop fidèlement toutes les arabesques de la fantaisie, toutes les hachures du caprice. » La renaissance du genre, sous le patronage enthousiaste de Baudelaire, a pu influencer Verlaine, en esquissant l'idée d'une modernité poétique séduisante. Elle pouvait féconder son goût spontané pour la gravure, pour « la ligne et le contour précis » (G. Zayed, 1970, p. 202). Baudelaire lui ouvrait aussi la voie par l'exemple poétique. La nouvelle section insérée dans *Les Fleurs du mal* dans l'édition de 1861 porte le titre de *Tableaux parisiens*. Dans son article de 1865 consacré à Baudelaire, Verlaine salue l'originalité de ces « eaux-fortes » :

> *Aussi quelles fantaisies à la Rembrandt que les « Crépuscules », « Les Petites Vieilles », « Les Sept Vieillards », et, en même temps, quel frisson délicieusement inquiétant vous communiquent ces merveilleuses eaux-fortes, qui ont encore cela de commun avec celles du maître d'Amsterdam* (*Charles Baudelaire*, L'Art, 30 novembre 1865).

Chez Gautier, chez Baudelaire surtout, Verlaine rencontrait le renouvellement d'une forme traditionnelle de la transposition d'art, l'ecphrasis. L'exemple, librement traité, s'en trouvait dans nombre de poèmes des *Fleurs du mal*, en particulier dans les *Tableaux parisiens*. À ses débuts, Baudelaire en avait exposé le principe, à propos de la critique : « le meilleur compte rendu d'un tableau pourra être un sonnet ou une élégie » (*Salon de 1846*). Verlaine emprunte la voie qui s'offre. L'inspiration picturale s'avoue dans les titres de son premier livre : *Eaux-fortes*, *Croquis parisien*, *Marine*, *Effet de nuit*, *Grotesques*, ou encore *Cauchemar* et *Caprices*, qui renvoient à Goya « cauchemar plein de choses inconnues » (Baudelaire, *Les Phares*, *Les Fleurs du mal*, VI).

La liberté du genre annoncé par le titre de la section se traduit dans la diversité formelle des poèmes. Au *Croquis parisien*, trois strophes hétérométriques (10/5/10/10) à rimes croisées, la discordance entre le mètre et le système des rimes imposant l'effet de l'instantané et de l'inachevé. Au *Cauchemar*, six strophes impaires et hétérométriques (7/7/7/7/4), dotées du système de rimes aaabb, avec un effet comparable de discordance. *Marine*, chef d'œuvre de contraste entre l'ampleur du sujet — une tempête — et l'étroitesse de la forme — strophes isométriques de quatre pentasyllabes à rimes embrassées —, où se discerne le principe d'intensité d'effet que formule Baudelaire à propos d'une marine d'Eugène Boudin, les *Petites Mouettes*, « deux quartiers de roche qui font une porte ouverte sur l'infini ». Pour *Effet de nuit*, une séquence de quatorze alexandrins à rimes plates. Enfin pour *Grotesques*, la suite saccadée de dix quatrains d'octosyllabes à rimes croisées.

2. François Coppée (1842-1908), poète prolixe et ami de Verlaine. Son recueil, *Le Reliquaire*, est publié chez Alphonse Lemerre en 1866, comme les *Poèmes saturniens*. Catulle Mendès écrira que c'est « dans la poésie intime, familière, soucieuse des charmes discrets de l'amour, des douleurs voilées et des petits détails du cœur, que son fin et caressant génie se développe jusqu'à être incomparable » (*Le Mouvement poétique français de 1867 à 1900*, Paris, Imprimerie nationale, 1903, p. 125). Verlaine lui consacrera la deuxième de ses biographies intitulées *Les Hommes d'aujourd'hui* (Léon Vanier, 1885-1892).

I. CROQUIS PARISIEN (p. 41)

Après la seconde strophe, suppression, signalée par Y.-G. Le Dantec, qui a vu en 1957 le manuscrit de la collection Lucien-Graux, de la strophe suivante, biffée d'un X :

> *Le long des maisons, escarpe et putain*
>   *Se coulaient sans bruit,*
> *Guettant le joueur au pas argentin*
> *Et l'adolescent qui mord à tout fruit.*

1. Ce titre, emprunté à l'art pictural, rappelle celui de la section que Baudelaire insère aux *Fleurs du mal* dans l'édition de 1861 : *Tableaux parisiens*. Le mot « croquis » renvoie au tracé spontané et rapide de traits essentiels, saisissant une forme, un mouvement, un saut d'imagination. Baudelaire l'emploie à propos de Constantin Guys, dans *Le Peintre de la vie moderne*, publié en 1863, afin de traduire le caractère ingénu et profondément suggestif d'une œuvre qui ressemble à « un poème fait de mille croquis ». Son éloge de cette « modernité », fondée sur l'« obéissance à l'impression », est contemporain de celui de l'eau-forte. Verlaine en tire une leçon sensible dans le choix des termes qui notent une perception simplifiée de formes contingentes, « par angles obtus », « en forme de cinq », « hauts », « pointus », et de couleurs, « plaquait ses teintes de zinc », « Des bouts de fumée [...] noirs », « ciel [...] gris », « bleus becs de gaz ».

2. Plaquer : appliquer à plat.

3. Zinc : oxyde de zinc utilisé sous le nom de blanc de zinc comme pigment en peinture. Littré donne la prononciation [zĕk], qui justifie la rime zinc/cinq. Elle se trouve chez Banville, dans *Le Feuilleton d'Aristophane* (scène 5), pièce dont, souligne J. Robichez, Verlaine s'était engoué et qui lui suggère peut-être l'anachronisme du dernier quatrain.

4. Basson : instrument à vent et à anche qui sert à exécuter les parties de basse.

5. Dans le croquis hivernal des vers 5 à 8, percent quelques souvenirs du décor dressé par Baudelaire dans les vers 5 à 10 de *Spleen* (*Les Fleurs du mal*, LXXV) :

> *Mon chat sur le carreau cherchant une litière*
> *Agite sans repos son corps maigre et galeux;*
> *L'âme d'un vieux poète erre dans la gouttière*
> *Avec la triste voix d'un fantôme frileux.*
>
> *Le bourdon se lamente, et la bûche enfumée*
> *Accompagne en fausset la pendule enrhumée.*

L'illogisme dénoncé par Jules Lemaître : « Et si le matou qu'on entend est "discret", comment peut-il miauler "d'étrange façon" » (*Les Contemporains*, IV, p. 85) ne relève pas de l'explication par la chose vue, ou entendue, mais plutôt de la combinaison d'impressions, peut-être, de souvenirs esthétiques, assurément.

6. Ce rêve de Grèce, d'une Grèce un peu trop simplifiée, résumée qu'elle est au philosophe, au sculpteur et aux deux batailles qui en dressent l'image stéréotypée de tout bon élève, inspire une certaine circonspection envers le signe d'allégeance d'un poète affilié au *Parnasse contemporain* mais plus ou moins sincère.

7. Sur l'expression « sous l'œil de », voir *Marine*, vers 2-3 et *Grotesques*, vers 24. J.-H. Bornecque cite les détracteurs de l'impressionnisme voulu de *Croquis parisien* et les traits d'ironie envers son dernier vers (1952, pp. 164-166). En particulier Jules Lemaître : « Qu'est-ce que c'est que ça ? C'est une impression. C'est l'impression d'un monsieur qui se promène dans une rue de Paris la nuit, et qui songe à Platon et à Salamine, et qui trouve drôle de songer à Salamine et à Platon "sous l'œil des becs de gaz". [...] lui seul sent le piquant du rapprochement de Platon et des becs de gaz. » Verlaine pouvait être en effet l'un des rares à saisir l'invitation de Baudelaire à « tirer l'éternel du transitoire » (*Le Peintre de la vie moderne*, IV) et à s'essayer à cette « originalité » que son aîné définit comme « l'estampille que le *temps* imprime à nos sensations ». En un sens, le dernier quatrain de *Croquis parisien* illustre et l'« obéissance à l'impression » selon Baudelaire et l'intention de « tirer l'éternel du transitoire ». Le vers 12, qui parut si hardi et si peu cohérent, combine en effet une métaphore,

« l'œil » des becs de gaz, et le déplacement, qui relève de l'hypallage, de deux épithètes : l'adjectif « clignotant », induit par la métaphore de l'œil, qui qualifierait proprement les jets irréguliers du gaz, comme l'adjectif « bleus », appliqué aux becs de gaz, alors qu'il se rapporte sémantiquement à la couleur du gaz. Verlaine n'est pas moins épris de rapprochements verbaux à effets, et dont les exemples ne manquent ni chez Hugo ni chez Baudelaire, lorsqu'il évoque dans son *Prologue* « l'effroi vert et rouge des éclairs sur le ciel entr'ouvert ».

II. CAUCHEMAR (p. 42)

Le Parnasse contemporain, 1866.

1. Ce titre se trouve chez Victor Hugo : *Le Cauchemar* (*Odes et Ballades*) et chez Gautier : *Cauchemar* (*Poésies 1830-1832*). À la source du poème, a signalé J.-H. Bornecque (1952, p. 168), la ballade de Bürger, *Lénore* (1774), que Verlaine put lire dans la traduction de E. de La Bédollière, publiée en fascicule en 1841 et recueillie dans *La Pléiade. Ballades, fabliaux, nouvelles et légendes* en 1842 chez Curmer ; elle y est précédée d'un frontispice gravé à l'eau-forte par Penguilly et comprend sept vignettes gravées d'après le même artiste, dont Baudelaire appréciait le goût pour « ces magnifiques allégories du Moyen Âge, où l'immortel grotesque s'enlaçait en folâtrant, comme il fait encore, à l'immortel horrible » (*Salon de 1859*, « Religion, histoire, fantaisie »). Nerval avait auparavant donné cinq versions en vers et en prose de *Lénore*, entre 1829 et 1848, en particulier dans *Poésies allemandes. Klopstock, Goethe, Schiller, Bürger. Morceaux choisis par M. Gérard* (Méquignon-Havard, Bricon, 1830) et dans *Faust et le Second Faust de Goethe, suivis d'un choix de ballades de Goethe, Schiller, Bürger, Klopstock [...]*, traduits par Gérard (Gosselin, 1840).

2. Le glaive et le sablier : emblèmes traditionnels dans les allégories de la mort. Dans l'adaptation de La Bédollière, le cavalier « tient une faux entre ses mains noueuses, / Avec un sablier ».

3. Dans la ballade de Bürger, le cavalier qui, sous les traits de son fiancé, emporte Lénore, punie d'avoir blasphémé, se change en squelette et dévoile la mort elle-même. Verlaine, à la manière de Baudelaire dans *Une gravure fantastique* (*Les Fleurs du mal*, LXXI), détache la figure du cavalier de toute trame narrative et la tourne en allégorie, plus propre à traduire l'intrusion du cauchemar dans la conscience. On retrouve dans sa description « cette pétulance de la mort » que Mme de Staël soulignait dans la ballade de Bürger (*De l'Allemagne*).

4. *Cf.* « Sans éperons, sans fouet, il essouffle un cheval » (Baudelaire, *Une gravure fantastique*).

5. Voir l'adaptation de La Bédollière :

    Puis en avant, hop! hop! ainsi le galop sonne.

6. Orfraie : oiseau de proie diurne et féroce, confondu avec l'effraie, proche de la chouette, dans l'expression familière « cris d'orfraie » et probablement aussi dans l'arsenal romantique auquel puise Verlaine. Comme le note C. Pichois, à propos du titre, *Les Orfraies*, attribué par Baudelaire au recueil poétique du héros de *La Fanfarlo*, Samuel Cramer, « l'orfraie appartient au décor romantique et plus précisément Jeune-France ; on la loge dans quelque ruine » (Baudelaire, *Œuvres complètes*, Bibliothèque de la Pléiade, 1975, t. I, p. 1420). La rime « orfraie/effraie » se rencontre chez Gautier (*La Comédie de la Mort* (1838), *Poésies complètes*, Charpentier, 1845) dans ces vers qui suivent la funèbre hallucination du narrateur :

    Et je vis s'envoler, comme on voit quelque orfraie,
    Que sous l'arceau gothique une lueur effraie,
        L'étrange vision !

                    (*La Vie dans la Mort*, 2)

7. Dans l'allégorie de la mort qui fournit le sujet de *Danse macabre* (*Les Fleurs du mal*, CXVII), Baudelaire écrit (v. 40) :

    Le sourire éternel de tes trente-deux dents.

III. MARINE (p. 44)

Le Parnasse contemporain, 1866.

1. Au sens pictural, une marine désigne un tableau qui représente une vue maritime. Albert Mérat donne pour titre *Marines et paysages* à l'une des sections de ses *Chimères* (1866). Apparent exercice de transposition d'art, cette « marine » orchestre autant de sons (*sonore, palpite, clame, rugit le tonnerre formidablement*) que de couleurs (*lune en deuil, éclair, bistre, zigzag clair, luit*). Elle annonce surtout par sa forme — quatre quatrains de pentasyllabes à rimes embrassées — et par le contraste entre l'ampleur du décor évoqué et l'exiguïté du mètre, la huitième des *Ariettes oubliées*, dont voici la première strophe :

    Dans l'interminable
    Ennui de la plaine
    La neige incertaine
    Luit comme du sable.

Le rapprochement rend sensible le parti descriptif auquel s'astreint ici le poète à venir du paysage-état d'âme. Extrémiste en matière d'exotisme, lorsqu'il suit Leconte de Lisle sur cette voie, comme dans le *Prologue*, l'auteur des *Eaux-fortes* l'est tout autant, s'il s'essaie à la poésie objective, à la manière de l'auteur des *Poésies barbares* (1862) dans *Effet de lune*, dont il paraît bien se souvenir, tout en visant à le surpasser.

2. Voir *Croquis parisien*, v. 12, et *Grotesques*, v. 24.

3. Bistre : suie cuite et détrempée dont on se sert pour peindre au lavis ; du jaune au brun rouge selon les bois brûlés.

4. Cet adverbe, par son sens (« de manière redoutable, terrible ») comme par sa lourdeur, contrarie la brièveté du pentasyllabe et la rapidité du rythme inhérent à la fréquence des accents et du retour des rimes. Il illustre l'art du contraste qui sous-tend l'ensemble de cette « eau-forte ». Du principe que Baudelaire formule en particulier dans le *Salon de 1859* à propos de la peinture de Penguilly : « l'infini paraît plus profond quand il est plus resserré », Verlaine expérimente ici la leçon.

IV. EFFET DE NUIT (p. 45)

Choix de poésies, Bibliothèque Charpentier, 1891.

Vers 12 Qui vont pieds nus, un gros de hauts pertuisaniers *1894*

1. Source possible d'inspiration : les eaux-fortes de Jacques Callot, *Les Grandes Misères de la guerre* (1633), en particulier celle qui représente *Les Pendus* ; elle montre au centre un arbre portant des pendus, et à gauche un corps d'armée en colonne, en marche vers le centre de l'estampe (reproduite dans *Jacques Callot 1592-1635*, Réunion des musées nationaux, 1992, p. 106).

Effet de (terme de peinture) : se dit des procédés que l'on emploie pour frapper, captiver, émouvoir. En particulier, effet de lumière dans un tableau : disposition qui concentre la lumière sur une partie du sujet du tableau en laissant le reste dans l'ombre et les demi-teintes. Par extension, procédés picturaux mettant en valeur une impression, comme chez Eugène Boudin (1824-1898) : *Sur la plage de Trouville, effet temporel* (1894). Leconte de Lisle reprend l'expression pour souligner une transposition d'effets picturaux dans un poème : *Effet de lune* (*Poésies barbares*, 1862). De même, *Effet de nuit* annonce un nouvel exercice de transposition d'art, où l'imitation de l'eau-forte se perçoit dans l'usage exclusif de termes de couleur dénotant le blanc, le gris et le noir (*blafard, éteinte, lointain gris, air noir, fuligineux, livides, luisent*). La suite de phrases nominales vise à traduire la spatialisation propre à l'art pictural. Mais si, selon Baudelaire, « l'eau-forte sert à glorifier l'individualité de l'artiste » (*Peintres et aquafortistes*, *Le Boulevard*, 14 septembre 1862), le poème de Verlaine, où rien ne connote un regard personnel, se rapproche de l'ecphrasis. Enfin plusieurs détails, selon J.-H. Bornecque, rappellent la manière d'Aloysius Bertrand dans *Gaspard de la nuit, Fantaisies à la manière de Rembrandt et de Callot*, publié en 1842 (1952, p. 169).

2. Blafard : d'un blanc terne.

3. Flèche : partie d'un clocher qui surmonte la tour, en forme de pointe.

4. Éteinte, lointain : à entendre comme termes picturaux. « Éteinte » qualifie une couleur atténuée, terne. Le « lointain » désigne le plan le plus reculé d'un tableau, « celui qui montre les objets plus ou moins noyés dans le vague de la perspective » (Littré). La suite des phrases nominales : « La nuit. La pluie. Un ciel blafard que déchiquette / [...] la silhouette / D'une ville [...] / La plaine », transpose la contiguïté des éléments supposés former le fond de l'image.

5. Gigue : « danse ancienne d'un mouvement vif et gai, sur un air à deux temps » (Littré). « Nonpareil » signifie « sans pareil », avec une nuance archaïsante. Baudelaire emploie cet adjectif dans *La Béatrice* (*Les Fleurs du mal*, CXV) : « La reine de mon cœur au regard nonpareil ».

6. Fuligineux : couleur de suie, noirâtre. Le « fond » désigne la partie qui constitue l'arrière-plan d'une estampe, dans son dessin. Il peut y avoir, dans le cas de l'eau-forte, des tirages à différentes étapes de l'exécution. L'effet de « fouillis » peut dépendre de l'état d'achèvement du dessin, ou bien de la volonté d'effet liée au sujet, comme dans le cas du « merveilleux fouillis d'agrès, de vergues, de cordages » décrit par Baudelaire à propos de Whistler (*Peintres et aquafortistes*, *Le Boulevard*, 14 septembre 1862).

7. Pertuisanier : soldat armé d'un pertuisane, c'est-à-dire d'une arme formée d'un long bâton, comme une pique, muni d'une pointe à sa partie supérieure et doté sur les côtés de pointes, de crocs, de croissants.

8. Herse : terme militaire désignant un instrument doté de pointes de fer, posé les pointes en l'air pour interdire le passage.

V. GROTESQUES (p. 46)

Revue du XIXᵉ siècle, octobre-décembre 1866.
Choix de poésies, Bibliothèque Charpentier, 1891.

Vers 25 La Nature à l'Homme   *R oct 1866*
Vers 33 Les Juins brûlent et les Décembres   *R oct 1866*
Vers 38 la Mort   *R oct 1866*

1. Grotesques : « terme de Beaux-Arts. Se dit des arabesques à l'imitation de celles qui ont été trouvées dans les édifices anciens ensevelis sous terre [...]. Par extension : [...] figures qui font rire en outrant la nature » (Littré). Après la découverte, en 1488, de la *Domus aurea* de Néron, nombre d'artistes viennent voir les salles du palais et découvrent leurs murs voûtés, ornés de combinaisons fantastiques de plantes et d'animaux, de figurations géométriques et d'arrangements architecturaux bizarres en stuc ou en peinture. Ces décorations sont dites *grottesche* parce que découvertes dans des édifices à demi enfouis de la Rome impériale, d'où le nom de grottes. Les *grotteschine* inspirent au xvie siècle nombres d'estampes, à fond noir ou à fond blanc ; d'Étienne Delaune, un cycle de Grotesques avec les sujets de la Genèse en six parties, au burin ; ou de Jacques Androuet du Cerceau, *Grotesques* (1566), eau-forte publiée dans *Livre de grotesques* (1566), réédité par Charles-Antoine Jombert en 1765 et source d'inspiration en particulier pour Antoine Watteau, pour Boucher et Huet.

Le mot « grotesques » est repris par Gautier pour intituler un recueil d'articles consacrés aux poètes « irréguliers » du début du xviie siècle, publiés en 1834-1835 et recueillis en volume sous le titre *Les Grotesques* en 1844 (cinquième édition en 1859). Le choix de ce titre traduit sa dette envers l'auteur de la *Préface de Cromwell*, qui contient un éloge soutenu du grotesque dans les arts, et son souhait de mettre en rapport les écrivains « amusants ou singuliers » qu'il évoque avec la série des gravures de Callot connues sous le nom de *grotesques*. Dans *De l'essence du rire et généralement du comique dans les arts plastiques* (1846), Baudelaire marque un intérêt profond pour le « comique absolu » (opposé au « comique significatif ») inhérent au grotesque dans ses diverses expressions, depuis l'Antiquité jusqu'aux énormes fantaisies de Rabelais ou aux « figures carnavalesques » de Callot :

> *Quant aux figures grotesques que nous a laissées l'antiquité, les masques, les figurines de bronze, les Hercules tout en muscles, les petits Priapes à la langue recourbée en l'air, aux oreilles pointues, tout en oreilles et en phallus, — quant à ces phallus prodigieux sur lesquels les blanches filles de Romulus montent innocemment à cheval, ces monstrueux appareils de la génération armés de sonnettes et d'ailes, je crois que toutes ces choses sont pleines de sérieux.*
>
> (*Œuvres complètes*, Bibliothèque de la Pléiade, 1975, t. II, p. 533).

2. Dans ces figures d'éternels vagabonds se mêlent plusieurs sources d'inspiration. Elles se rattachent au type des bohémiens, illustrés en particulier par Callot (1592-1635) :

Bohémiens (vers 1630). Gautier les commente ainsi : « Les mendiants, les Bohémiens représentés par Callot, sont [...] d'un caprice extravagant et d'une exagération bouffonne de tournure qui les séparent entièrement des types ignobles » (*La Presse*, 17 mars 1837). Le type littéraire est abondamment attesté chez les poètes admirés de Verlaine. On peut citer les *Bohémiens en voyage* (*Les Fleurs du mal*, XIII) de Baudelaire, qui partagent avec les vagabonds verlainiens la nostalgie de l'irréel, « le morne regret des chimères absentes ». Le portrait en est cependant inversé : à la « tribu prophétique » s'opposent ces errants « hagards », « odieux et ridicules / Et maléfiques ». Tandis que la nature abreuve les uns et les nourrit, contre les autres, elle s'allie à l'homme pour conspirer à leur perte. Le poème en prose *Chacun sa chimère* (*La Presse*, 26 août 1862 ; *Petits Poèmes en prose*, VI) offre une autre figure des bohémiens, marchant sans fin « sous la coupole spleenétique du ciel » et « condamnés à espérer toujours », plus proche de celle des « vagabonds sans trêves » allant « sous l'œil fermé des paradis ». Dans *Les Vocations* (*Le Figaro*, 14 février 1864 ; *Petits Poèmes en prose*, XXI), apparaît un trio de bohémiens musiciens « en guenilles ». Glatigny donne aussi ses *Bohémiens* (*Les Vignes folles*, Librairie nouvelle, 1860), maudits par la nature, voués à la mélancolie de l'espoir sans objet, placés sous l'égide de Callot :

> *Et, dans un rapide galop,*
> *Vous voyez tournoyer la ronde*
> *Du peuple noblement immonde*
> *Que nous légua le grand Callot.*

Chez Gautier, dans *Ténèbres* (*Poésies diverses 1833-1838*), se dresse une figure plus romantique des éternels errants, qui symbolisent l'humanité vouée à son destin, mais dont plusieurs traits font écho à la description de Verlaine. De ce que le thème soit devenu banal, Banville offre un témoignage explicite. « La Sainte Bohème » (juin 1847), est recueillie dans *Odes funambulesques* (Poulet-Malassis, 1857). Dans l'avertissement de la deuxième édition (Michel Lévy, 1859), Banville justifie son « essai de raillerie » de ce que, à l'apogée des grands genres littéraires, la parodie donne encore une preuve du rayonnement des grandes œuvres. Dans l'édition de Lemerre (sans date [1873]), *La Sainte Bohème*, pièce d'un groupe intitulé depuis 1859 *Variations lyriques*, et non plus *Triolets*, est dotée de ce commentaire : « En composant cette chanson, je me suis armé de tout mon courage pour écrire le mot : *Bohème*, que j'exècre ; cependant, j'ai voulu le délivrer des haillons et des viles guenilles dont on l'avait affublé, et le débarbouiller avec l'ambroisie à laquelle il a droit. — Mais qu'il faut d'humilité et de résignation pour toucher à des sujets où les poncifs abondent, comme les grandes herbes dans les eaux de la Seine! » (Paris, août 1873). À l'évidence, Verlaine opte pour le poncif, qui lui fournit d'opportunes figures saturniennes — « L'orgueilleuse mélancolie / Qui vous fait marcher le front haut » —, non sans le retoucher, à la faveur du parti descriptif qui domine son essai de « grotesques ».

3. Hagard : « qui a l'air farouche et sauvage » (Littré).

4. Odieux : qui inspire l'aversion, la haine.

5. Maléfique : « qui exerce une maligne influence, en parlant du prétendu pouvoir de certaines planètes et étoiles » (Littré).

6. Aigre : perçant, désagréable.

7. Synecdoque de l'abstrait pour le concret. Elle illustre le mélange de styles, élevé et bas, dont Verlaine tire, dans cette pièce aussi, des effets de contrastes propices à l'intention du titre.

8. Voir *Prologue*, v. 99, et *À une femme*, v. 2.

9. Fastidieux : qui inspire l'ennui, le dégoût. L'apposition, antéposée, se rapporte à « l'amour des choses éternelles ». Dans les vers 1-3 se discerne une réminiscence des *Bohémiens* de Glatigny (*Les Vignes folles*, 1860, p.149, v. 5-8) :

> *Hélas ! dans vos froides prunelles*
> *Où donc le rayon de soleil ?*
> *Qui vous chantera le réveil*
> *Des espérances éternelles ?*

D'autres échos se remarquent entre les deux poèmes. C'est cependant un portrait inversé des « doux Bohémiens » de son devancier que trace Verlaine, greffant plutôt sur leur image, sans souci apparent de cohérence, les traits romantiques des grands maudits, dans la lignée de Melmoth selon Baudelaire : le mélancolique satanique, le révolté, le blasphémateur, l'anathème, maudit par Dieu, par la Nature, par la mort elle-même. Ce n'est pourtant vers aucun symbole de l'artiste maudit que tend, contrairement à Baudelaire, à Gautier, à Glatigny, l'« eau-forte » de Verlaine, qui s'en tient au mélange du dérisoire et du tragique annoncé par le titre.

Sur la religion des Bohémiens, voir C. Pichois (Baudelaire, *Œuvres complètes*, Bibliothèque de la Pléiade, 1975, t. I, p. 865).

10. Voir *Croquis parisien*, v. 12, et *Marine*, v. 2-3.

11. Voir Glatigny, *Les Bohémiens* (v. 13-16) :

> *Pour vous, jusqu'à la source claire*
> *Que Juillet aura tarie demain,*
> *Jusqu'à la mousse du chemin,*
> *Tout se montre plein de colère.*

Et Baudelaire :

> *Cybèle, qui les aime, augmente ses verdures,*
> *Fait couler le rocher et fleurir le désert*
> *Devant ces voyageurs [...]*

12. Voir Glatigny, *Les Bohémiens* (v. 21-24) :

> *L'ennui profond, l'ennui sans bornes,*
> *Vous guide, ô mes frères errants !*
> *Et les cieux les plus transparents*
> *Semblent sur vous devenir mornes.*

13. Anathème : qui est frappé d'anathème, c'est-à-dire de la sentence par laquelle l'Église retranche quelqu'un de la communauté des fidèles.

PAYSAGES TRISTES (p. 49)

1. Ce titre relie la section qu'il désigne et au titre du recueil et à l'intention picturale dénotée aussi par le titre de la section précédente, *Eaux-fortes*. La tonalité des sept pièces ici regroupées est cependant toute différente. Les variations sur l'ecphrasis le cèdent aux modulations plus personnelles sur le paysage intérieur, ou encore sur le paysage « état d'âme », à la suite de Baudelaire. Ce dernier intitule « Paysage » un poème consacré à la vocation du poète, publié dans *Le Présent* le 15 novembre 1857 et placé dans l'édition des *Fleurs du mal* de 1861 en tête des *Tableaux parisiens*. Dans cette section se fait entendre la voix de Verlaine.

2. Catulle Mendès (1841-1909), poète, romancier et dramaturge prolixe ; il s'est d'abord fait connaître par les vers de *Philoméla* (Hetzel, 1863), très appréciés de Verlaine, et comme fondateur de la *Revue fantaisiste* (1859) ; il a activement collaboré au premier *Parnasse contemporain* (1866).

I. SOLEILS COUCHANTS (p. 51)

Choix de poésies, Bibliothèque Charpentier, 1891.

1. Titre de Victor Hugo en tête d'une section des *Feuilles d'automne* (1832). Même titre, au singulier, chez Gautier, pour un poème descriptif placé dans la section *Paysages* des *Poésies complètes* (1845), et chez Albert Mérat, dans *Les Chimères* (1866).

2. L'épithète suggère-t-elle la ténuité de la lumière naissante, ou faut-il plutôt l'entendre dans le sens morbide d'alanguie, malade de langueur, comme y invite le contexte et en particulier l'image d'une aube paradoxale, crépusculaire, mélancolique comme une fin de journée?

3. À la suite de Baudelaire, Verlaine cultive l'alliance du verbe concret et du complément abstrait. Le même verbe figure dans deux des poèmes de Baudelaire consacrés au *spleen* :

> *Pluviôse, irrité contre la ville entière,*
> *De son urne à grands flots verse un froid ténébreux*
> *Aux pâles habitants du voisin cimetière*
> *Et la mortalité sur les faubourgs brumeux.*

>   (*Les Fleurs du mal*, LXXV)

> *Quand le ciel bas et lourd pèse comme un couvercle*
> *[...]*

> *Et que de l'horizon embrassant tout le cercle*
> *Il nous verse un jour noir plus triste que les nuits;*

>   (*Les Fleurs du mal*, LXXVII)

4. Le pluriel du titre et la rime « champs/couchants » (v. 2 et 4) rappellent les vers de *L'Invitation au voyage* : « — Les soleils couchants / Revêtent les champs » (*Les Fleurs du mal*, LIII), qui sont aussi des pentasyllabes.

5. Le contexte (« la mélancolie des soleils couchants », « berce de doux chants ») inclinerait à comprendre le mot « mélancolie » au sens atténué de « tristesse vague qui n'est pas sans douceur » (Littré), si l'insidieux bercement de la mélancolie ne préparait, en affaiblissant la conscience de soi, la naissance d'une sorte d'hallucination vertigineuse, obsédante et sans cause.

6. La rime « rêves/grèves » se trouve dans *Horreur sympathique* (*Les Fleurs du mal*, LXXII), poème consacré aussi à l'évocation d'un décor où l'âme projette des visions :

> *Cieux déchirés comme des grèves,*
> *En vous se mire mon orgueil;*
> *Vos vastes nuages en deuil*
> *Sont les corbillards de mes rêves.*

7. De Baudelaire pourrait venir aussi la reprise délibérée des mêmes mots, dont Verlaine avait bien vu l'effet : « ce procédé si simple en apparence, mais en vérité si décevant et si difficile, qui consiste à faire revenir un vers toujours le même autour d'une idée toujours nouvelle et réciproquement; en un mot à peindre l'*obsession* » (*Charles Baudelaire*, VI, *L'Art*, 23 décembre 1865) — comme Baudelaire avait, lui aussi, perçu chez Edgar Poe l'effet des « retours obstinés de phrases qui simulent les obsessions de la mélancolie ou de l'idée fixe » (*Notes nouvelles sur Edgar Poe*, 1857).

La brièveté du mètre favorise le retour fréquent des homophonies finales, quatre seulement pour les seize vers, reposant aux vers 3 et 5, 4 et 8, 10 et 15 sur la reprise des mêmes mots (mélancolie, couchants, soleils). Le nombre des répétitions de mots et de syntagmes est remarquable : la mélancolie (v. 3 et 5), des soleils couchants (v. 4), aux soleils couchants (v. 8), des soleils couchants sur les grèves (v. 10-11), des grands soleils couchants sur les grèves (v. 15-16), défilent (v. 13 et 14). Ce ne sont là que quelques aspects d'une poétique de l'obsession, que Verlaine essaie aussi dans *Crépuscule du soir mystique*, *Promenade sentimentale*, *Le Rossignol*.

II. CRÉPUSCULE DU SOIR MYSTIQUE (p. 52)

Choix de poésies, Bibliothèque Charpentier, 1891.

Vers 12 pamoison *1866 corrigé en* pâmoison

1. Le titre est imité de Baudelaire : *Le Crépuscule du soir* (*Les Fleurs du mal*, XCV) mais traduit à la fois l'emprunt et le traitement singulier du thème. Au sens de « spirituel », l'adjectif « mystique » annonce, à l'opposé du poème descriptif de Baudelaire, le choix d'un « crépuscule du soir » tout intérieur. Bien différent aussi de l'intuition heureuse de l'unité de l'être formulée par Baudelaire — dans *Parfum exotique*, *Harmonie du soir*, *Le Balcon*, poèmes dont Verlaine ici se souvient, ou encore dans *Tout entière* :

> Ô métamorphose mystique
> De tous mes sens fondus en un !

le crépuscule de l'âme selon Verlaine figure plutôt l'inquiétante confusion du moi et l'incertitude de son identité. Lorsqu'il imagine la « maladive exhalaison / De parfums lourds et chauds » dont le « poison » noie et les sens et l'âme et la raison, Verlaine est plus proche de l'auteur des *Sept Vieillards* :

> Vainement ma raison voulait prendre la barre ;
> La tempête en jouant déroutait ses efforts,
> Et mon âme dansait, dansait, vieille gabarre,
> Sans mâts, sur une mer monstrueuse et sans bords !

et sa mystique, inversée, initierait plutôt au désordre mal défini qui gît sous l'ordre simpliste que le langage rationnel impose à l'être. La forme du poème est paradoxale. Une seule phrase complexe contrarie la mesure des décasyllabes, dont le treizième, semblable au premier, relance une lecture indéfinie du poème. La discordance externe qui affecte neuf vers sur treize répond à l'image d'un vertige intérieur, rebelle à la mesure, et qui s'achève dans la confusion, ou la fusion du dedans et du dehors, du « Souvenir avec le Crépuscule ». Le système de rimes, fondé sur deux homophonies dont la distribution est irrégulière (abba baab babba), contribue au même effet.

2. L'image complexe du « Souvenir » qui tremble à l'horizon de « l'Espérance », illogisme complaisamment dénoncé par Jules Lemaître — « Et "le souvenir rougeoyant avec le crépuscule à l'horizon de l'espérance", qu'est-ce que cela signifie, dieux justes ? » —, pourrait traduire, par la projection de l'espace intérieur — le souvenir, l'espérance — sur le spectacle visible — le crépuscule —, et surtout par la confusion du regard vers le passé et du regard vers l'avenir — le souvenir à l'horizon de l'espérance — ce moment verlainien où l'âme perçoit avec « une espèce d'œil double », et « à travers un murmure, / Le contour subtil des voix anciennes », et « dans les lueurs musiciennes, [...], une aurore future » (*Romances sans paroles*, *Ariettes oubliées* II).

3. Réminiscence de Baudelaire : « La nuit s'épaississait ainsi qu'une cloison » (*Les Fleurs du mal*, XXXVI, *Le Balcon*, v. 16).

4. Voir le dernier tercet de *Parfum exotique* (*Les Fleurs du mal*, XXII) :

> *Pendant que le parfum des verts tamariniers,*
> *Qui circule dans l'air et m'enfle la narine,*
> *Se mêle dans mon âme au chant des mariniers.*

5. Au sens étymologique, « spasme », puis « évanouissement », ce mot conserve un sens fort dans le langage courant : vif transport causé par l'émotion.

III. PROMENADE SENTIMENTALE (p. 53)

Choix de poésies, Bibliothèque Charpentier, 1891.

Vers 14 dans ses ondes, *1890 1894* en ses ondes *CP 1891*

1. On trouve cet adjectif dans un titre de Gautier, *Clair de lune sentimental* (*Émaux et Camées* (1852, 1858, *Variations sur le carnaval de Venise*, IV), et dans un titre de Théodore de Banville, *Ronde sentimentale* (*Les Cariatides*, nouvelle édition, 1864, livre quatrième), où il annonce l'expression du sentiment amoureux, sur le mode du regret et sur celui du désir. C'est en ce sens qu'il se comprend chez Verlaine dans *Colloque sentimental* (*Fêtes galantes*). Dans *Promenade sentimentale*, poème voué à dire l'obsession d'une plaie de l'âme ou du cœur, on hésite sur le sens de l'adjectif. Importé d'Angleterre, dans la traduction du titre de Sterne, *A Sentimental Journey through France and Italy* (1768 ; traduction française 1769), l'adjectif « sentimental » s'applique à toute émotion ou tout phénomène de la vie affective. Et n'est-ce pas plutôt une plaie de l'âme, sans cause ni nature précise, que le narrateur du poème de Verlaine promène « parmi la saulaie » et projette sur les éléments d'un décor forestier et crépusculaire qui concourent tous à refléter — « C'est bien la pire peine » (*Romances sans paroles*, *Ariettes oubliées* III) —, le désespoir sans cause, figure morbide de la mélancolie ?

2. Darder : lancer comme un dard (bâton à pointe de fer, qui se lance à la main). Par extension : se dit des rayons et des flammes lancés comme des dards. Le verbe s'applique plus pertinemment aux premiers feux du soleil.

3. « Les nénuphars blêmes ;/ Les grands nénuphars, entre les roseaux [...] / Et des nénuphars, parmi les roseaux, / Des grands nénuphars » : même usage, pour le même effet obsédant, de la répétition de mots avec variantes que dans *Soleils couchants* ; on le retrouve dans *Clair de lune* (v. 11-12) : « les jets d'eau, / Les grands jets d'eau parmi les marbres » (*Fêtes galantes*).

4. Moins hardi que l'ellipse de *Soleils couchants* (v. 8-9), qui suggère une hallucination irrépressible (« Et d'étranges rêves / [...] Fantômes vermeils, / Défilent [...] / Défilent [...]), le verbe « évoquer » (faire surgir ; par extension : rappeler, suggérer) présente le « fantôme laiteux » comme une illusion de l'imagination, née de la « brume vague » à laquelle le mélancolique donne la forme de son désespoir.

5. Le plus souvent à la forme négative dans cet emploi absolu (« Il ne se rappelle plus »).

6. Métaphore bien attestée. Ex. : « Les noirs linceuls des nuits sur l'horizon se posent » (Victor Hugo, *La Bataille perdue*) ; « Je courus à la grève et ne vis qu'un linceul / De brouillards et de nuit, et l'horreur, et moi seul » (*Les Châtiments*, VII, 8).

7. Dans cette séquence de seize décasyllabes à rimes plates — dont les quatre dernières sont semblables aux quatre premières et reposent sur la reprise des mêmes mots —, la discordance du vers et de la syntaxe contribue, comme dans *Soleils couchants* et dans *Crépuscule du soir mystique*, à suggérer le malaise intérieur. La répétition de mots y est aussi remarquable.

IV. NUIT DU WALPURGIS CLASSIQUE (p. 54)

Revue du xixᵉ siècle, 1ᵉʳ août 1866.
Choix de poésies, Bibliothèque Charpentier, 1891.

Titre WALPURGIS CLASSIQUE *R août 1866*

Vers 2 sabbat. Rhytmique. Extrêmement *R août 1866*

Vers 5 à 8 Des ronds-points. Au milieu, des jets d'eau, des allées / Toutes droites. Sylvains de marbre. Dieux marins / De bronze. Çà et là, des Vénus étalées, / Des quinconces. Des boulingrins. *R août 1866*

Vers 19 dissonnants *1866 corrigé en* dissonants

Vers 21 s'entrelacent bientôt *R août 1866*

Vers 31 cadensée *1866 corrigé en* cadencée — *Verlaine écrivait à Léon Vanier en 1887 : « Il y a aussi, je me rappelle, dans* Nuit du Walpurgis classique, *je crois : cadense, au lieu de cadence. Corriger également » (lettre du 6 décembre 1887).*

1. Titre emprunté à Goethe. Dans *Faust* (1808), figure une *Nuit de Walpurgis* — montagne du Brocken où la tradition populaire germanique situe le sabbat la nuit du 30 avril au 1ᵉʳ mai. Goethe y place une scène de sabbat achevée par le *Songe de la nuit de Walpurgis (Walpurgisnachtstraum)*, qui évoque divers personnages de Shakespeare et les noces d'or d'Obéron et de Titania. Dans le *Second Faust* (1833), la *Nuit de Walpurgis classique (Klassische Walpurgisnacht)* offre, selon Nerval, un « pendant à la *nuit du sabbat* de la première partie, en créant cette fois une sorte de sabbat du Tartare antique » (« Examen analytique », *Œuvres complètes*, éd. de J. Guillaume et C. Pichois, Bibliothèque de la Pléiade, t. I, 1989). Dans les champs de Pharsale, Faust rencontre des personnages de la mythologie antique, se rend aux rives du Pénéios où il interroge Chiron sur Hélène, puis obtient de Perséphone de ramener à la vie la créature éternelle et divine, qu'il conquiert et qu'enfin il perd. Le choix du titre a pu être inspiré plus directement par Glatigny, dont le poème *Nocturne* (*Les Flèches d'or*, 1864) appelle le retour des « belles ombres galantes », « par un beau clair de lune / [...] Quand Faust éveille, avec le monde antique, / La grande Hélène au visage divin » :

> *Et les amants de la douce féerie,*
> *Qui vous suivront aux taillis toujours frais,*
> *Dans leur chanson mollement attendrie*
> *Raconteront ce Walpurgis français.*

C'est bien un « Walpurgis français » que Verlaine situe dans un jardin de Lenôtre, le créateur des jardins « à la française », et classique en ce sens, bien différent du Walpurgis de Goethe.

2. Entendons que le rendez-vous galant et triste des « formes toutes blanches » (v. 21-28) est plus proche du « sabbat du Tartare antique », selon l'expression figurée de Nerval, que du sabbat de sorcières du *Premier Faust* ou de la tradition.

3. André Lenôtre (1613-1700), jardinier du Roi à partir de 1645, inventa l'agencement des jardins dits « à la française » et contribua à la création du parc de Versailles. Sur l'ironie légère de l'énumération des éléments obligés du « jardin de Lenôtre », voir le poème de Musset, *Sur trois marches de marbre rose* (*Poésies nouvelles*, 1854), où se rencontrent aussi l'énumération des éléments caractéristiques de « l'ennuyeux parc de Versailles » et l'idée d'éveiller toutes les ombres du passé qui ont foulé les trois marches de marbre :

> *Ô dieux ! ô bergers ! ô rocailles !*
> *Vieux Satyres, Termes grognons,*
> *Ô bassins, quinconces, charmilles !*
> *Boulingrins pleins de majesté,*
> *Où les dimanches, tout l'été,*
> *Bâillent tant d'honnêtes familles !*

Trois poèmes de Gautier, *Rocaille, Pastel, Watteau* (*Poésies diverses 1833-1838*), attestent tout ensemble le goût répandu — sans trop de précision historique — pour l'ornementation des jardins et — poncif auquel cède aussi Hugo — pour le rappel des belles ombres du passé. Catulle Mendès avait publié dans le *Parnasse contemporain* de 1866 une *Ronde nocturne*, dont voici deux quatrains :

> *Le sommeil sourd des rameaux sombres*
> *Emplit mystérieusement*
> *L'horreur frissonnante des ombres*
> *D'un peuple spectral et charmant.*
>
> *Sous l'éblouissement stellaire*
> *Qui pâlit les obscurités,*
> *Dans une danse circulaire*
> *S'entrelacent les nudités.*

D'autres rapprochements attestent la même vogue (voir J.-H. Bornecque, 1952, pp. 175-177 ; J. Robichez, 1995, p. 521).

4. Sylvains : dieux des forêts. Quinconces : arbres disposés en échiquier. Boulingrin : parterre ornemental de gazon (de *bowling green*).

5. Effiler : rendre fin ou pointu. On attendrait « affiler » : planter à la file.

6. Aulique (qui appartient à la cour des rois), épithète rare, employée aussi dans le *Prologue* (v. 94), fournit une rime particulièrement riche.

7. Moins obsédante que dans *Soleils couchants, Crépuscule du soir mystique, Promenade sentimentale*, la répétition à variantes des mêmes mots ou fragments de vers traduit le moment de la rêverie ; le temps successif des choses visibles le cède à l'écoulement ralenti des associations de la mémoire (v. 14-15) et des spectacles de l'imaginaire (v. 21-23, v. 25).

8. *Tannhaüser* est représenté — et éreinté — à Paris le

13 mars 1861 ; Baudelaire prend la défense de Wagner dans
« Richard Wagner et *Tannhaüser* à Paris » (*Revue européenne*,
1er avril 1861). L'air de chasse : allusion aux sonneries de
chasse qui annoncent la venue du Landgrave Hermann et de
ses compagnons à l'acte I de *Tannhaüser*.

9. Le thème de la « nuit hantée » se trouve chez Léon Dierx
dans *La Nuit de juin* (*Le Parnasse contemporain*, 1866) et chez
L.-X. de Ricard dans *Ronde nocturne* (voir J.-H. Bornecque,
1952, p. 177).

10. Transparentes.

11. De la teinte laiteuse et bleuâtre de l'opale.

12. Si Verlaine se souvient de Gautier (*Watteau*) :

> *C'était un parc dans le goût de Watteau :*
> *Ormes fluets, ifs noirs, verte charmille,*
> *Sentiers peignés et tirés au cordeau*

il le corrige plaisamment en conjuguant le regard de Raffet
(1804-1860), aquafortiste épris de rigueurs militaires, à la
manière de Watteau, fort peu parente des vues géométriques
de Lenôtre.

13. Comme dans les poèmes précédents de *Paysages tristes*,
Verlaine situe les créations de la rêverie, ici par le recours plus
traditionnel au thème de la danse macabre, à la frontière
incertaine de l'imaginaire et du fantastique.

14. Dans la tradition picturale et littéraire de la danse
macabre, la Mort fauche sans discernement rois, princes et
gens de peu ; dans ce cadre, la « tourbe cadencée » (*turba*,
foule) désignerait, non sans nuance dépréciative, la gent
humaine dérisoire, tout entière soumise à la mort, le « trou-
peau mortel » qui « saute et se pâme » de Baudelaire (*Danse
macabre*, v. 54, *Les Fleurs du mal*, XCVII).

15. *Cf.* Baudelaire : « Les charmes de l'horreur n'enivrent
que les forts » (*Danse macabre*, v. 36).

V. CHANSON D'AUTOMNE (p. 56)

Choix de poésies, Bibliothèque Charpentier, 1891.

Vers 12 et je pleure. *CP 1891*

1. Deux titres proches dans *Les Fleurs du mal* : *Chant
d'automne* et *Sonnet d'automne*.

Au XIXe siècle, la « chanson » désigne le plus souvent une
pièce de vers courts aux strophes rythmées (ici trois sizains :
443/443). Elle n'a ni ton, ni caractère fixe, s'offre comme
l'œuvre du moment et présente la plus grande variété
métrique et rythmique. Banville la définit comme une « ode

gaie, légère, amoureuse » (*Petit Traité de poésie française*, 1872). Nerval a rappelé le charme des chansons populaires (*Petits Châteaux de Bohême*). Banville (*Les Stalactites*, 1846 : *Nous n'irons plus aux bois, Chanson à boire, La Chanson de ma mie, La Chanson du vin, Chanson d'amour, Chanson de bateau, À une petite chanteuse des rues — Odes funambulesques*, 1857 : *Chanson. Sur l'air des landriry*), Hugo (*Les Chansons des rues et des bois*, 1865), Musset (*Chansons à mettre en musique*, dans *Premières Poésies* ; *Chanson de Fortunio, Chanson de Barberine*, dans *Poésies nouvelles*) ont eu recours aux rythmes de la chanson. Ils trouvaient leurs modèles chez les poètes de la Renaissance, mis en honneur en particulier par Nerval et par Sainte-Beuve. Dans les *Amours* (1584) de Ronsard, se trouvent vingt-trois occurrences du titre « Chanson » ; ces poèmes offrent une remarquable variété de mètres, avec une fréquence notable de la suite 7-3-7-7-3-7, souvent reprise par les amateurs romantiques et parnassiens du genre de la chanson. À la suite de Nerval (*Odelettes*) et de Baudelaire, Verlaine tire un effet du contraste entre la forme et la gravité du sujet : l'automne de l'âme, ou mélancolie.

2. Affaiblissement morbide, abattement qui caractérise l'état mélancolique.

3. Réminiscence du distique-refrain de Marceline Desbordes-Valmore dans *Les Cloches et les Larmes* (*Poésies inédites*, 1860 ; voir A. Fongaro, « Verlaine et Marceline Desbordes-Valmore », *Studi francesi*, n° 6, 1958, pp. 442-445) :

> *Sur la terre où sonne l'heure*
> *Tout pleure, ah ! mon Dieu, tout pleure.*

Apollinaire se souviendra de ces échos mélancoliques dans *Le Pont Mirabeau* (*Alcools*, 1913), dont ce quatrain fameux se fonde aussi sur un mètre court (alternance 4/3/4/3) :

> *Vienne le temps*
> *Sonne l'heure*
> *Les jours s'en vont*
> *Je demeure*

VI. L'HEURE DU BERGER (p. 57)

Choix de poésies, Bibliothèque Charpentier, 1891.

1. L'heure du berger : l'heure où le berger trouve la bergère favorable à ses vœux, c'est-à-dire le moment favorable aux amants.

2. Emploi hardi d'un verbe intransitif.

3. Consacrés à décrire un crépuscule, à la manière des

Eaux-fortes plus que des *Paysages tristes* qui précèdent, les trois quatrains paraissent mentir au titre. Cependant, dans l'étoile du berger qui se lève, dernière figurante d'un simple tableau, se discerne aussi (« Blanche, Vénus émerge ») une Vénus anadyomène plus apte à suggérer symboliquement la rencontre amoureuse (« et c'est la Nuit »). Dans *Chez les étoiles*, Gautier invente ainsi une figure double de Vénus, étoile amoureuse d'un poète : « Moi, j'étais l'heureuse étoile d'un jeune homme charmant » :

> *Dans sa mansarde aussi, nid de fleurs sur les toits,*
> *À travers les parfums, je me glissais parfois.*
> *Ces soirs-là, la moitié de la route était faite,*
> *Car je venais du ciel et c'était un poète !*

VII. LE ROSSIGNOL (p. 58)

Choix de poésies, Bibliothèque Charpentier, 1891.

Vers 13 qui fut *1890 1891 1894*

1. Dans la mythologie antique, Philomèle, fille de Pandion, est transformée en hirondelle, puis, selon une tradition plus tardive, en rossignol, pour échapper à son meurtrier (voir Ovide, *Les Métamorphoses*). Le rossignol symbolise traditionnellement la perfection du chant. Dans ses représentations littéraires (Shakespeare, *Roméo et Juliette* ; Keats, *Ode à un rossignol*), son chant évoque tout à la fois la félicité de l'amour comblé et la mélancolique précarité du bonheur. Ainsi de la « voix célébrant l'Absente », « voix [...] / De l'oiseau que fut mon Premier Amour, / Et qui chante encor comme au *premier jour* », expression de la douleur heureuse du souvenir amoureux, dans le même temps présent et à jamais perdu. Le rossignol, métaphore de la voix aimée, se trouve chez Ronsard :

> *Quand j'entens la douce voix*
> *Par les bois*
> *Du gay Rossignol qui chante,*
> *D'elle je pense jouyr*
> *Et ouyr*
> *Sa douce vois qui m'enchante.*

(*Chanson*, « Quand ce beau printemps... », v. 55-60,
Le Second Livre des Amours, 1584).

2. Dans ce poème d'apparence complexe, la contruction syntaxique dégage un mouvement simple, de l'afflux des souvenirs à la résurrection du Souvenir : « Tous mes souvenirs s'abattent sur moi, / S'abattent [...], / S'abattent, et puis la rumeur mauvaise [...], / S'éteint [...], si bien / Qu'[...] on n'entend plus rien, / Plus rien que la voix [...], / Plus rien que la

voix [...] / De l'oiseau [...] ; / Et [...] / une / Nuit [...], / Berce [...] /
L'arbre [...] et l'oiseau [...]. » La métaphore de l'aune au feuillage jaune, pour désigner le cœur du poète, éclaire le duo sym-
bolique de l'arbre et de l'oiseau — du poète et du souvenir —,
que les autres figures, comparaisons et métaphores, développent. Toute métaphorique, en dépit de l'ampleur trom-
peuse des éléments descriptifs, l'évocation de la mélancolie
inguérissable de qui « a perdu ce qui ne se retrouve » (Baudelaire, *Les Fleurs du mal* LXXXIX, *Le Cygne*) est l'un des plus
saturniens des poèmes du recueil.

CAPRICES (p. 59)

1. Le terme *capriccio*, « caprice », très usité aux XVIIᵉ et XVIIIᵉ
siècles en musique comme dans les arts visuels, désigne des
« œuvres de fantaisie, irrégulières, sur des thèmes variés,
inclassables dans aucun genre et propres à l'imagination créatrice de l'auteur » (B. Heckel, *Jacques Callot*, Réunion des
musées nationaux, 1993, p. 233). Au pluriel, titre de Jacques
Callot (1592-1635), auteur d'eaux-fortes consacrées au quoti-
dien et au pittoresque comme les *Caprices* (*Capricci di varie
figure*, 1617), mêlant le naturel et le grotesque. C'est aussi un
titre de G. B. Piranèse (1720-1818), *Grotteschi e Capricci*
(1750), et de F. Goya (1746-1828) : *Caprices*, publiés en 1799.
On trouve de Gautier *Caprices et zigzags* (1852), de Banville
Caprice (*Les Améthystes*, 1862). Le choix de ce titre souligne la
variété des sujets et des formes des cinq pièces de la section.

2. Henry Winter : auteur de deux poèmes publiés dans *Le
Parnasse contemporain* de 1866, *L'Auberge* et *Nuit d'hiver*,
d'articles et de comptes rendus pour *L'Art*, il collabore à *La
Gazette rimée* à la même époque que Verlaine.

I. FEMME ET CHATTE (p. 61)

Choix de poésies, Bibliothèque Charpentier, 1891.

1. Si le chat tient une place notable dans l'inspiration du
poète des *Fleurs du mal*, la chatte ne paraît, comme figure
d'une féminité plutôt maniérée et mièvre, que dans les *Petits
Poèmes en prose* ; ou peut-être est-ce le lieu commun d'une
féminité féline, perverse, faussement suave et vraiment féroce,
qui sous-tend les images de *Duellum* (« les dents, les ongles
acérés ») ou de *Causerie* :

> — *Ta main se glisse en vain sur mon sein qui se pâme ;
> Ce qu'elle cherche, amie, est un lieu saccagé
> Par la griffe et la dent féroce de la femme.*

Le même lieu commun inspire peut-être Verlaine, qui, toutefois, opte pour un duo ou duel féminin : femme et chatte. D'un côté, mi-masqués de mitaines, les « meurtriers ongles d'agate, / Coupants et clairs comme un rasoir » de la femme, de l'autre, comme en miroir, rentrée mais prête, la « griffe acérée » de la chatte, sous le regard du futur auteur des *Amies* (1868).

2. C'était un prodige, un spectacle surprenant.

3. Si le verbe « s'ébattre » conserve le sens de « se mouvoir au gré de sa fantaisie, folâtrer », le substantif « ébats », qui ne s'emploie guère qu'au pluriel, s'est spécialisé dans le sens d'« ébats amoureux ».

4. Friponne.

5. Gants laissant à nu les deux dernières phalanges des doigts.

6. Baudelaire fait aussi rimer « patte » avec « agate » dans *Le Chat* (*Les Fleurs du mal*, XXXIV, v. 2 et 4), mais l'agate caractérise les yeux du chat. L'agate, nom générique des calcédoines, ne se désigne pas par sa dureté mais par la diversité de ses couleurs, due à la présence du jaspe, de l'améthyste, du cristal de roche, etc. Mallarmé y choisira l'onyx pour d'autres ongles — et par jeu étymologique (*Poésies*, « Ses purs ongles très haut dédiant leur onyx »).

7. Affecter une douceur excessive.

8. Rien d'avoué n'incline à doter le mot « chatte » d'une ambiguïté érotique ; mais tout suggère de lire, dans les figures du jeu, les degrés de la séduction amoureuse, joueuse et cruelle : l'ébat des approches (v. 3-4), l'assaut retenu (v. 5-11), l'image équivoque des « quatre points de phosphore » qui clôt la pièce. L'érotisme du poème reste latent, rêverie née d'un spectacle, comme la victoire du diable reste indéterminée : lesbianisme (Bornecque, 1952, p. 181) ou simple « malignité perverse » (Robichez, 1995, p. 524) ?

II. JÉSUITISME (p. 62)

Vers 12 au cœur sacré *1894*

1. Jésuitisme : conduite jésuitique, mais toujours en mauvaise part : hypocrisie.

2. Aveu personnel masqué (Bornecque, 1952, p. 181) ? Ou variation sur un thème ? De l'ironie romantique au « grotesque triste » de Flaubert, en passant par l'indissociable alliance du grotesque et du sublime chez Hugo et par le « rire en pleurs » à la manière de Musset, sans oublier le sourire grimaçant de la mort dans la vie chez Gautier ni le grotesque ou

« comique absolu » selon Baudelaire, ni enfin le pessimisme souriant de Mallarmé, les antithèses et les oxymores ne manquent pas pour traduire, dans la littérature romantique et post-romantique, la conscience de la contradiction irrémédiable inhérente à l'existence, qui frappe tous les sentiments humains de dérision. Le chagrin qui « tue » et « picote » de Verlaine semble plutôt un exercice sur l'antithèse, laborieux de surcroît, en particulier dans la métaphore développée de Tartuffe (v. 7-16).

3. *De profundis* : incipit du cantique *De profundis clamavi ad te, domine...* — auquel Baudelaire emprunte un titre pour *Les Fleurs du mal* : *De profundis clamavi* (XXX). L'air du *Tradéri* est devenu une scie, à l'imitation de la chanson de Louis Abel de Reigny, *Colinette* (*Soirées chantantes*, 1805), chansonnette légère sur un amour déçu, dont le refrain est le suivant :

> *Tradéridéradéridéradéridéra, Traladéridéra*
> *N'y a pas d'mal à ça,*
>   *Colinette,*
> *N'y a pas d'mal à ça !*

(La Chanson française illustrée, Boulanger,
s.d. [vers 1840], t. III)

Cf. Banville, *Le Critique en mal d'enfant* (*Odes funambulesques* (1857), *Occidentales*, 2e éd., 1859, p. 207) :

> *Ou bien il était triste en même temps que gai,*
> *Mêlant* De profundis *avec* Ma Mie, ô gué !

III. LA CHANSON DES INGÉNUES (p. 63)

Choix de poésies, Bibliothèque Charpentier, 1891.

Entre la quatrième strophe et la cinquième, s'intercale sur le manuscrit Lucien-Graux cette strophe non biffée — citée d'après Y.-G. Le Dantec (1962, p. 1081) :

> Et nous parlons dans le style
> Qu'Eugène Scribe a trouvé,
> — Grand homme ! — et qu'encor distille
> Monsieur Ernest Legouvé.

Vers 3 vivons presque *CP 1891*
Vers 8 d'azur. *CP 1891*
Vers 17 Caussades, *CP 1891*
Vers 25 notre grandeur se raille *CP 1891*
Vers 27 muraille *CP 1891*

1. Voir la note 1 de *Chanson d'automne*. L'ingénue : d'abord un personnage de théâtre à la fois inexpérimenté, innocent et non dénué de lucidité, doté d'un regard naïf et neuf sur le monde, comme l'Agnès de Molière ou, chez Marivaux, mainte ingénue prompte à s'instruire. Dans les ingénues de Verlaine, une naïveté suspecte voile à peine un cœur averti. Catulle Mendès traite platement le même thème dans *Les Ingénues* (*Philoméla*). Voir, dans *Fêtes galantes*, *Les Ingénus*.

2. Coïncidence qui souligne l'épithète stéréotypée, Offenbach prête au bottier nommé Frick de son opérette *La Vie parisienne*, représentée pour la première fois au Palais-Royal le 31 octobre 1866, cette réplique adressée à l'ingénue gantière :

> *Entrez ! entrez, jeune fille à l'œil bleu*
> *Chez l'homme adoré des cocottes,*
> *Monsieur Raoul de Gardefeu,*
> *Vous apportez des gants, moi j'apporte des bottes !*

3. Réminiscence ironique de la déclaration d'Hippolyte dans la *Phèdre* de Racine (Bornecque, 1952, p. 182) :

> *Le jour n'est pas plus pur que le fond de mon cœur.*

Voir aussi (Robichez, 1995, p. 525) Banville, *Le Beau Léandre* (1856), comédie d'inspiration ouvertement parodique, dans l'esprit que Banville décrit dans ses commentaires des *Odes funambulesques* en 1873 (Lemerre) :

Colombine

Tu n'es qu'un enjôleur, et je ne te crois pas.
À quand le mariage ?

Léandre, *feignant le désespoir.*

Ô froids et durs appas !

Cœur de neige fondue !

Colombine

À quand le mariage ?

Léandre, *à part.*

Elle y tient !
(Haut)
Ô des cieux rare et charmant ouvrage,
Fassent un jour mes vœux que nous nous unissions !
Le ciel n'est pas plus pur que mes intentions.

(Acte I, scène 3)

4. Archaïsme pour « prés » — Littré note l'usage de cette forme dans le Berry et dans certains noms de lieux. Une occurrence chez Musset (Robichez, 1995, p. 525) :

> *Et, suivant leurs curées,*
> *Par les vaux, par les blés,*
> *Les prées,*
> *Ses chiens s'en sont allés.*

On lit aussi dans *La Chasse du Burgrave* de Victor Hugo (*Odes et Ballades*) : « Adieu clos, plaines diaprées, / Prées ».

5. Mot vieilli : soirs. Le mot « vesprées » se trouve chez Ronsard (« Mignonne, allons voir si la rose »). Musset, qui ronsardise volontiers à ses débuts, l'emploie dans *Stances* (*Premières Poésies*) : « Que j'aime à voir dans les vesprées / Empourprées ».

6. Dans le contexte fuyant du poème, la chasse aux papillons prête à équivoque. Passe-temps d'une héroïne au cœur pur de Stendhal : « Elle passait ses journées [...] à faire la chasse aux papillons » (*Le Rouge et le Noir*), la chasse aux papillons peut se colorer de sous-entendus. Courir après les papillons, c'est-à-dire s'amuser à des bagatelles, conduit vers « papillonner ».

7. Le mot *bergère*, qui signifie « amante » dans la poésie pastorale, prête aussi à ambiguïté.

8. L'épithète « si légères », placée entre tirets à valeur d'insistance, attire l'attention sur l'« extrême blancheur » de robes qu'on est incliné à supposer quasi transparentes. — Dans une lettre à Edmond Lepelletier datée de « Lécluse, ce 4 octobre 1862 », Verlaine, à propos « de rouges beautés vêtues de robes légères », écrit : « mon amour pour la vérité m'empêche d'ajouter avec Scribe : "d'une extrême blancheur" ». Si le vers 16 se lit comme une citation, il attire l'attention sur le caractère trop convenu pour être sincère du portrait des Ingénues par elles-mêmes.

9. Dans une strophe supprimée — qui figure sur le manuscrit de la collection du Dr Lucien-Graux entre les quatrième et cinquième strophes —, la mention du nom d'Eugène Scribe (1791-1861), auteur d'environ 350 pièces, qui collabora maintes fois avec Ernest Legouvé — *Adrienne Lecouvreur*, 1849 —, pourrait s'expliquer de l'inventivité de cet auteur en matière de fausses oies blanches, caractérisées dans le style convenu que Verlaine imite plaisamment pour le portrait de ses ingénues. Ernest Legouvé (1807-1903), fils de l'auteur du *Mérite des femmes* (1824), donna lui-même une *Histoire morale des femmes* (1848). Rimbaud reprendra ces pointes polémiques.

10. Trois représentants du libertinage. Le duc de Richelieu (1696-1788), célèbre pour l'éclat et la multiplicité de ses aventures galantes, sujet de plusieurs pièces de théâtre, comme *Le Lovelace français ou La Jeunesse du duc de Richelieu* d'A. Duval, et d'ouvrages plus ou moins romancés, comme la *Vie privée du maréchal de Richelieu, contenant ses amours et intrigues* (1790-1792). Faublas, héros galant des *Amours du* *chevalier de Faublas* (1787-1790) de Louvet de Couvray. Caussade : nom peut-être emprunté à *Marion Delorme*, où Caussade, soupirant de Marion mais personnage invisible, est cité trois fois (Robichez, 1995, p. 526).

11. Voir *Pantomime* (*Fêtes galantes*) :

> *Colombine rêve, surprise*
> *De sentir un cœur dans la brise*
> *Et d'entendre en son cœur des voix.*

12. Vêtement ample et sans manches.

13. Plutôt, dans ce tableau qui annonce les *Fêtes galantes*, au sens du XVIIIᵉ siècle : le libertinage s'entend comme la conduite mondaine, orientée par le goût des plaisirs licencieux et l'indépendance morale, de ceux qui se désignent eux-mêmes comme des roués.

IV. UNE GRANDE DAME (p. 65)

1. Poème à clef ou variation sur un thème ? La réponse est incertaine. Dans le portrait pourrait se discerner une figure de la femme minérale dont Baudelaire a donné des illustrations, comme, dans la chute, une réminiscence du sadisme vengeur illustré par le même poète.

2. Fourrure que chantres et chanoines portaient sur le bras en allant à l'office.

3. *Cf.* Baudelaire, « Avec ses vêtements... » (*Les Fleurs du mal*, XXVII) :

> *Ses yeux polis sont faits de minéraux charmants*
> *Et dans cette nature étrange et symbolique*
> *[...]*
>
> *Où tout n'est qu'or, acier, lumière et diamants,*
> *Resplendit à jamais, comme un astre inutile,*
> *La froide majesté de la femme stérile.*

4. Féminin forgé sur lynx (quadrupède carnassier, auquel on attribue traditionnellement une vue particulièrement perçante), peut-être par réminiscence de Lyncée, pilote des Argonautes. Littré note que Malherbe, à la suite des Anciens, dit « yeux de Lyncée » et non de lynx.

5. Ninon de Lenclos (1616-1706), célèbre pour les passions qu'elle inspira à de multiples adorateurs et pour son inconstance.

6. Personnage de *La Tour de Nesle*, drame en cinq actes d'Alexandre Dumas et Félix Gaillardet, représenté pour la première fois le 29 mai 1832 au théâtre de la Porte-Saint-Martin,

Buridan prononce cette réplique : « Ce sont de grandes dames » (I, 5).

V. MONSIEUR PRUDHOMME (p. 66)

Revue du progrès moral, littéraire, scientifique et artistique, août 1863.

Avec le surtitre SATIRETTES I *et l'épigraphe* « Ab Jove principium » *à la suite du titre et la signature* Pablo *RP 1863*

Vers 7 Et les prés verts où vont errer les amoureux ?... *RP 1863*

Vers 9 Avec monsieur Machin, un jeune homme COSSU *RP 1863*

Vers 13 en horreur, et voudrait qu'on les pulvérisât... *RP 1863*

Vers 13 coriza *1866 corrigé en* coryza

1. Henry Monnier (1799-1877) invente en 1830 le personnage de Monsieur Prudhomme, charge du bourgeois, vaniteux, convenu, au langage nourri de lieux communs et ridiculement orné, emblème du « stupide XIX⁰ siècle » (Léon Daudet). Il publie en 1857 les *Mémoires de M. Joseph Prudhomme*. L'adjectif « prudhommesque », attesté en 1853 et signifiant « d'une platitude sentencieuse et pontifiante », marque la popularité du type. Son nom revient encore sous la plume de Verlaine en 1891 sans ses *Souvenirs*, à propos de rues propices aux plaisirs du « naturalisme pratique » et « que Mossieu Prudhomme appellerait mal fréquentées ».

2. Rimbaud se souviendra peut-être de ce trait dans deux vers de *Roman* (septembre 1870) : « Passe une demoiselle aux petits airs charmants / Sous l'ombre du faux-col effrayant de son père ».

3. *Juste-milieu* : nom donné sous la monarchie de Juillet au courant centriste du Tiers Parti, il peut caractériser l'ensemble de la politique de Louis-Philippe. Être juste-milieu : s'en tenir en tout à des opinions moyennes.

4. Terme de mépris envers un rustre, un fripon, un vaurien, ici plutôt redondant.

5. Si ce vers trouve sa source dans quelque souvenir scolaire de Boileau, « La jeunesse en sa fleur brille sur son visage » (*Le Lutrin*, I, 65), « Le printemps dans sa fleur sur son visage est peint » (*Satire X*, 560), comme le suggère J. Robichez (1995, p. 528), la substitution de mots (« sur ses pantoufles ») accuse plaisamment l'intention dérisoire.

INITIUM (p. 69)

1. Titre latin à la manière de Victor Hugo (*Caeruleum mare*, *Oceano nox*), de Baudelaire (*Franciscae meae laudes*, *Sed non satiata*, etc.), de Leconte de Lisle (*Nox*, *Dies irae*, *Requies*, *Poésies complètes*, 1858) et de bien d'autres. Le sens du titre (*initium*, début) est éclairé par le quinzième vers.

2. Parmi les métaphores musicales relatives aux sons du violon, le « rire » des violons n'est pas la moins inattendue, sauf à supposer que cette métaphore renvoie à un son réel, si elle transpose l'exécution de *pizzicati*.

3. Forme francisée de mazurka (autrement notée masurka, masourka, masourke), nom d'une danse polonaise à rythme ternaire qui connut une grande vogue au xixᵉ siècle.

4. La comparaison, fondée sur l'analogie entre le rythme de la « mazurque » et celui d'un vers, porte sur le verbe, en sorte que les deux appositions entre tirets se lisent comme son développement.

5. Chute analogue pour la forme dans *Les Ingénus* (*Fêtes galantes*) aux vers 9-12.

ÇAVITRÎ (p. 73)

Choix de poésies, Bibliothèque Charpentier, 1891.

(MAHA-BHARATA) *1894*

1. L'épisode de Sâvitri se trouve dans le *Mahâbhârata* (*La Grande [Guerre des] Bhârata*), épopée sanskrite de 90 000 vers, texte majeur de l'Inde, attribué à Vyâsa et sans doute élaboré dans sa forme connue par plusieurs auteurs entre le ivᵉ siècle avant J.-C. et le ivᵉ siècle de notre ère. Dans l'émulation des jeunes poètes suscitée par l'illustration chez leurs grands aînés, Leconte de Lisle surtout, des mythes antiques et des grandes épopées, indiennes en particulier, Verlaine s'était intéressé à la mythologie indienne (« J'en suis à la moitié du *Ramayana* », écrit-il à L.-X. de Ricard le 31 août 1865). Comme dans la première partie du *Prologue*, il sacrifie ici aux goûts du maître des Impassibles, ou plutôt, comme l'a observé Y.-G. Le Dantec (1962, p. 1082), donne un humoristique pastiche. J.-H. Bornecque a identifié la source de Verlaine : une traduction de la légende de Sâvitri dans *La Pléiade. Ballades, fabliaux, nouvelles et légendes*. Homère, Veda-Vyasa, Marie de France, Burger, Hoffmann [etc.] publié chez Curmer en 1842 — où Verlaine a aussi trouvé le germe de *Cauchemar*. Les livraisons VII et VIII, qui contiennent *Sâvitri. Épisode du Mahabharata, grande épopée indienne*, traduit du sanskrit par G. Pauthier, datent de 1841.

2. Dans la traduction de G. Pauthier, on lit : « Mais Savitri, restant debout et immobile, ressemblait à un pieu inanimé. »

3. Surya (ou Çurya), dieu védique du soleil. Voir Leconte de Lisle, *Çunacepa* :

> *Çuria, comme un bloc de cristal diaphane*
> *Dans l'espace azuré monte, grandit et plane ;*
> *[...]*
>
> *Quand Çuria des monts enflammera la crête,*
> *[...]*
>
> *Et l'Est devint d'argent, puis d'or, puis flamboya,*
> *Et l'univers encor reconnut Çuria !*

> (*Poésies complètes, Poèmes et Poésies*,
> Poulet-Malassis et De Broise, 1858)

et *La Vision de Brahma* :

> *À la droite du Dieu, penché sur ses cavales,*
> *Le char de Çuria faisait sonner son plein carquois ;*
> *Et l'Aurore guidait du bout de ses beaux doigts*
> *L'attelage aux grands yeux, aux poils roses et pâles.*

> (*Poésies complètes, Poésies nouvelles*,
> Poulet-Malassis et De Broise, 1858)

Les « rais cruels » peuvent s'expliquer de la figure de Surya conducteur de char, attestée dans l'épopée indienne, et que Leconte de Lisle développe et mêle de souvenirs classiques. L'archer soleil, cliché hérité de l'Antiquité, apparaît chez Banville : « l'archer Soleil avec ses traits de feu ». Selon Grimal, Hélios a la tête environnée de rayons qui lui forment une chevelure d'or. Il parcourt le ciel sur un char tiré de quatre chevaux rapides.

4. Divinité lunaire.

5. Voir le *Prologue*, v. 69-84 et l'*Épilogue*, v. 53-54. Hommage appuyé à Leconte de Lisle, non tout à fait insincère chez celui qui demeura fidèle à « sinon la perfection de la forme, du moins l'effort invisible, insensible, mais effectif vers cette haute et sévère qualité » (*Conférence sur les poètes contemporains*, 1893), et qui, si étranger qu'il se sentît ensuite aux idées de son aîné comme à sa froideur « étrange en un siècle tout de nerfs et d'émois », rappela ainsi sa tutelle : « J'ai débuté en 1867 par les *Poèmes saturniens*, chose jeune et forcément empreinte d'imitations à droite et à gauche. En outre, j'y étais "impassible", mot à la mode en ces temps-là : *Est-elle en marbre, ou non, la Vénus de Milo* ? m'écriais-je alors dans un *Épilogue* que je fus quelque temps encore à considérer comme la crème de l'esthétique. »

SUB URBE (p. 77)

Le Parnasse contemporain, 1866.
Vers 6 ton anomal *PC 1866*

1. Autre titre en latin : voir *Initium*, note 1. Au sens de « auprès de, aux portes de la ville », désigne les faubourgs (en anglais : *suburbs*). Souvenir possible du premier quatrain de *Spleen* (*Les Fleurs du mal*, LXXV), où l'image des faubourgs et celle du cimetière (« les pâles habitants du voisin cimetière », « la mortalité sur les faubourgs brumeux ») servent l'idée du peu de différence qui sépare les vivants des morts, suggérée aussi dans cette pièce (v. 17-21). Le thème est développé par Gautier dans *La Comédie de la mort* (1838 ; *La Mort dans la vie*). Baudelaire le reprend dans *Le Tir et le Cimetière* (*Petits Poèmes en prose*, XLV).

2. Au témoignage de Lepelletier, Verlaine, dont le père était mort le 30 décembre 1865, l'aurait consulté « sur le point de savoir s'il devait laisser figurer, dans le volume, la pièce de vers intitulée *Sub urbe*. [...] Il craignait qu'on ne vît là une allusion à son deuil, une plainte, une sorte d'élégie personnelle » (*Paul Verlaine. Sa vie. Son œuvre*, pp. 153-154). C'est l'un des exemples invoqués pour soutenir l'absence d'inspiration personnelle dans les *Poèmes saturniens*.

3. Mot rare signifiant « hivernal » (lat. *hiemis*, hiver) : latinisme archaïsant.

4. Voir Baudelaire (*Les Fleurs du mal*, LXI, *Chant d'automne*) : « L'échafaud qu'on bâtit n'a pas d'écho plus sourd ».

5. Adjectif préféré à « anomal » (*Le Parnasse contemporain*, 1866), forme concurrente selon Littré.

6. Cortège (du grec θεωρία, procession).

7. Voir Gautier, *La Comédie de la mort* :

Peut-être n'a-t-on pas sommeil ; et quand la pluie
Filtre jusqu'à vous, l'on a froid, l'on s'ennuie
    Dans sa fosse tout seul.

8. Voir Baudelaire (*Les Fleurs du mal*, C, « La servante au grand cœur... ») :

Les morts, les pauvres morts, ont de grandes douleurs.

9. Nourrie de réminiscences, cette évocation verlainienne du cimetière se singularise par la place accordée aux sons (*frémissent, bruits sourds, vibrent sur un ton anormal, silencieux, rythme heurté des sanglots, crie, caquetants, berce* [...] *de chants*).

SÉRÉNADE (p. 81)

Choix de poésies, Bibliothèque Charpentier, 1891.

1. Sérénade : concert accompagné ou non de voix, qui se donnait la nuit sous les fenêtres de quelqu'un. Voir *Mandoline* (*Fêtes galantes*) :

> *Les donneurs de sérénades*
> *Et les belles écouteuses*
> *Échangent des propos fades*
> *Sous les ramures chanteuses.*

Intention ironique probable de cette contrefaçon de sérénade (« Ma voix aigre et fausse », « cette chanson — Cruelle et câline », « — Mon Ange ! — ma Gouge ! »), truffée de réminiscences comme un pastiche, enfin modelée sur une forme empruntée, celle du *Beau Navire* (*Les Fleurs du mal*, LII), avec une reprise semblable des strophes (I-IV, II-VII). L'ironie vise moins le sujet — les beautés de l'aimée — que les clichés tenaces et vains des blasons du corps féminin, à la manière de Du Bellay, dans *Contre les Pétrarquistes* (*Divers Jeux rustiques*, XX), dénonçant « ce Paradis de belles fictions », qui « donnent plus de plaisirs aux lisans / Que vos beautez à tous vos courtisans ».

2. De la proposopée du revenant, à laquelle la comparaison renvoie, l'exemple se trouve chez Gautier (*La Comédie de la mort*) ; de la revanche « cruelle et câline » du revenant amoureux, plusieurs exemples chez Baudelaire : voir *Remords posthume* et *Le Revenant* (*Les Fleurs du mal*, XXXIII et LXIII).

3. Lieu où l'on se retire, appartement ou cabinet privé (« un cabinet, un boudoir, un *retrait*, comme disent les gothiques », Gautier, *Voyage en Russie*, XIV) — mais aussi lieu d'aisances : dans ce poème équivoque, l'ambiguïté est-elle voulue ? J. Robichez rappelle que, dans sa lettre de remerciement pour les *Poèmes saturniens*, Sainte-Beuve « se livre à une plaisanterie de mauvais goût » (1995, p. 531).

4. Voir Gautier, *La Comédie de la mort* :

> *C'était un dialogue, et du fond de la fosse*
> *À la première voix, une voix aigre et fausse*
> *Par instants se mêlait.*

5. Voir Baudelaire, *Le Léthé* (*Les Épaves*, IV) :

> *Et le Léthé coule dans tes baisers.*
> *[...]*
> *Je sucerai, pour noyer ma rancœur,*
> *Le népenthès et la bonne ciguë*
> *Aux bouts charmants de cette gorge aiguë*

6. Voir Baudelaire, *Parfum exotique* (*Les Fleurs du mal*, XXII) :

> *Quand, les deux yeux fermés, je respire l'odeur*

De ton sein chaleureux [...]

Le pastiche est perceptible dans la suite de clichés mêlés d'emprunts : « yeux d'or », « Léthé de ton sein », « Styx de tes cheveux », « chair bénie » au « parfum opulent », comme l'ironie envers la convention du blason féminin dans la platitude du vers 17 : « je louerai beaucoup, comme il convient ».

7. Femme de mauvaise vie, prostituée.

UN DAHLIA (p. 85)

Choix de poésies, Bibliothèque Charpentier, 1891.

1. Emblème, plutôt que symbole, de l'impassibilité dont Verlaine se fait le champion temporaire et studieux, cette figure de courtisane sculpturale, énorme, indifférente et insensible présente divers traits épars dans *La Beauté*, *L'Idéal*, *La Géante*, et peut-être surtout dans *Allégorie* (*Les Fleurs du mal*, CXIV), poèmes eux-mêmes marqués de l'influence de Gautier. Selon J.-H. Bornecque, l'influence de Glatigny domine (1952, p. 187). Certains vers de *L'Impassible* (*Les Vignes folles*, 1860), dédié à Charles Baudelaire, le suggèrent — encore le poème de Glatigny est-il lui-même une variation sur les vers de Baudelaire, en particulier ceux de *La Beauté* et d'*Allégorie* :

Je suis la courtisane aux majestés cruelles!
[...]

À l'immobilité, calme, je m'habitue;
Mes yeux, comme les yeux mornes d'une statue,
Ont des regards pesants et lourds!

Je trône sur les cœurs, moi dont le cœur est vide;
[...]

Sous les plus chauds baisers mes chairs resteront froides

2. Allusion à l'épithète homérique, appliquée en particulier à Héra : βοῶπις, « aux yeux de bœuf », « aux grands yeux ».

3. Voir *Tout entière* (*Les Fleurs du mal*, XLI) :

Et l'harmonie est trop exquise,
Qui gouverne son beau corps,
Pour que l'impuissante analyse
En note les nombreux accords.

4. *Faner* : retourner l'herbe d'un pré fauché pour la faire sécher.

5. Voir *La Beauté* (*Les Fleurs du mal*, XVII, v. 5) :

Je trône dans l'azur comme un sphinx incompris.

NEVERMORE (p. 89)

Vers 2 peints *1866 corrigé en* peins

1. Même titre que la deuxième pièce de *Melancholia* (voir la note 1). Le quintil d'alexandrins, avec la répétition du vers 1 au vers 5, se trouve dans *Le Balcon, Réversibilité* et *Moesta et errabunda* (*Les Fleurs du mal*, XXXVI, XLIV, LXII), et dans le second, avec la suite de rimes abbaa, plus rare, employée par Verlaine.

2. Voir Racine, *Athalie* :

> *Je leur semai de fleurs le bord des précipices.*

IL BACIO (p. 93)

Le Parnasse contemporain, 1866.
Choix de poésies, Bibliothèque Charpentier, 1891.

Vers 6 volupté sans pareille *CP 1891*

1. Dans *Choix de poésies*, ce poème est placé dans la série *Caprices*, avec *Femme et chatte, La Chanson des ingénues* et *Un dahlia*. Il doit son titre (*il bacio*, « le baiser ») à une valse chantée, alors en vogue, de Luigi Arditi (1860).

2. Rose trémière, ou d'outremer, immortalisée par le vers célèbre de Nerval dans *Artémis* (*Les Chimères*, 1854) :

> *Le rose qu'elle tient, c'est la* Rose trémière.

3. Féminin employé à la Renaissance, par Montaigne, par Ronsard, ici à valeur archaïsante.

4. Épithète archaïsante, qui se trouve chez Baudelaire :

> *La reine de mon cœur au regard nonpareil*
>
> > (*Les Fleurs du mal*, CXV, *La Béatrice*)

Voir Ronsard, *Chanson*, « Mon soin... » (*Le Second Livre des Amours*, 1584) aux vers 4 et 32 :

> *Par vos beautez nompareilles.*

5. Emploi fréquent dans le nord de la France et en Belgique pour « ne peut ».

6. Shakespeare. L'abréviation figure dans *La Ville enchantée* (*Odes funambulesques*) de Banville — que l'auteur de *Nuit du Walpurgis classique* a lue :

> *Un mimodrame avec des changements à vue,*
> *Comme ceux de Gringoire et du céleste Will.*

7. Le bouquet désigne une courte pièce de vers, à l'occasion d'une fête, pour un compliment (ex. *Le Bouquet, ode coquette* de Colletet).

DANS LES BOIS (p. 97)

L'Art, 16 décembre 1865.
Le Parnasse contemporain, 1866.

Titre J'ai peur dans les bois... *A 16.12.1865*

Vers 9 comme l'onde *1866 corrigé en* comme l'onde,

1. Variation sur un thème, comme le suggère le premier quatrain, mais peut-être aussi traversé de souvenirs plus personnels, ce poème traduit l'impressionnabilité du « nerveux », opposée à la quiétude de l'innocent (le pur, voire le simple) ou du lymphatique (dénomination du flegmatique dans l'ancienne doctrine des tempéraments fondée sur les humeurs), comme aux transports du rêveur mystique. Nerval avait publié une pièce intitulée *Dans les bois* dans un ensemble d'*Odelettes* (*Annales romantiques*, 1835.)

2. Voir Baudelaire, *Obsession* (*Les Fleurs du mal*, LXXIX) :

> *Grands bois, vous m'effrayez comme des cathédrales*

De ce poème, Verlaine pourrait avoir surtout retenu le thème, l'obsession incurable des êtres qui hantent l'imagination et la mémoire et naissent « par milliers » à la faveur des ténèbres. C'est ce thème que développent les diverses images de l'incendie et du sang voilés par la brume, du cri contenu dans l'angélus, du vent obsesseur, du chuchotement inquiétant des sources. Se mêlent sans doute, dans son souvenir de Baudelaire, l'intuition mystique illustré par la « forêt de symboles » de *Correspondances* et la frayeur qui n'a rien de mystique d'*Obsession*.

3. Voir Victor Hugo, *À Albert Dürer* (*Les Voix intérieures*) :

> *Une forêt pour toi c'est un monde hideux.*
> *Le songe et le réel s'y mêlent tous les deux.*
> *[...]*

> *Aux bois, ainsi que toi, je n'ai jamais erré,*
> *Maître, sans qu'en mon cœur l'horreur ait pénétré,*
> *Sans voir tressaillir l'herbe, et, par le vent bercées,*
> *Pendre à tous les rameaux de confuses pensées.*

ou encore Pierre Dupont, *Les Pins* (*La Muse populaire*, 1851) :

> *L'horreur sombre de ces grands bois*
> *M'inspire une chaste épouvante.*

4. Voir Emmanuel des Essarts, *Le Repentir de Paul* (*Poésies parisiennes*, 1862) :

> *Vous lanciez le vertige, ô rayons obsesseurs.*

NOCTURNE PARISIEN (p. 101)

Choix de poésies, Bibliothèque Charpentier, 1891.

Vers 12 les boléros *CP 1891*
Vers 17 endormies *1866 corrigé en* endormies,
Les vers 35 à 54 forment une séquence séparée des vers 55 à 76, qui composent la séquence suivante, dans CP 1891.

1. Nom d'une composition musicale proche de la sérénade au XVIIIe siècle, puis, au XIXe siècle, d'une composition mélodique et mélancolique, le terme « nocturne » désigne plutôt ici une pièce inspirée par la nuit. Le titre rappelle celui de Baudelaire, *Tableaux parisiens*, qui apparaît en tête d'une nouvelle section des *Fleurs du mal* dans l'édition de 1861. La plus académique, sans doute, des pièces que choisit Verlaine pour son premier recueil, par sa composition — exposé du sujet (v. 1-6), comparaison longuement préparée par l'amplification (v. 7-34) entre les fleuves célèbres et la Seine, longue description de la Seine au crépuscule (v. 35-88), lourde personnification de Paris, de l'eau et de la nuit, prétexte à méditation sur la mort (v. 89-102), conclusion (v. 103-106) — comme par les procédés oratoires et la « mosaïque d'allusions littéraires » (Bornecque, 1952, p. 189) qui constitue le poème. Selon Edmond Lepelletier, l'indéfectible ami de Verlaine et dédicataire de *Nocturne parisien*, cette pièce fut composée en 1861-1862. Voici son commentaire : « La première pièce qu'il jugea digne [...] d'être imprimée, est intitulée *Nocturne parisien*. C'est un tableau pittoresque et synthétique de la Seine. Elle m'est dédiée et figure dans les *Poèmes saturniens*. J'en garde précieusement l'original, ou du moins le texte mis au net sur papier à lettres bleuté, d'après le brouillon raturé, maculé d'encre, presque indéchiffrable, que Verlaine ne conserva même pas, car, lorsqu'il pensa, par la suite, à faire entrer ce poème dans le premier volume qu'il publiait, il me redemanda son *Nocturne* » (*Paul Verlaine. Sa vie. Son œuvre*, pp. 77-78).

2. Voir Victor Hugo, *Grenade* (*Les Orientales*) : « Cadix a les palmiers; Murcie a les oranges [...] / Mais Grenade a l'Alhambra. » L'énumération des fleuves qui suit est toute faite de réminiscences littéraires plus ou moins précises : le Tibre, qui baigne Rome et tient son nom de Tiberinus; le Guadalquivir, fleuve d'Andalousie cher à Gautier; le Pactole, fleuve de Lydie, supposé rempli de paillettes d'or depuis le bain qu'y prit le roi Midas; le Bosphore, chanté par Hugo dans *Les Orientales* (« La Sultane favorite ») ainsi que le Rhin dans *Les Burgraves*; le Lignon, affluent de la Loire qui doit sa célébrité à *L'Astrée*, ou encore le Meschascébé — nom indien du Mississipi, pris dans *Atala* — et l'Eurotas — souvenir de l'*Itinéraire de Paris à Jérusalem* —, enfin le Gange, ou Ganga, que célèbre Leconte de Lisle dans son *Baghavat* des *Poèmes antiques* (voir Bornecque, 1952, p. 189).

3. Repos du milieu du jour chez les Turcs.

4. *Ganga* : voir *Prologue*, note 6.

5. *Padmas* : voir *Prologue*, note 18.

6. Voir *Le Crépuscule du soir* dans *Tableaux parisiens* (*Les Fleurs du mal*, XCV).

7. Aux vers 72-76, esquisse d'une synesthésie à la manière de Baudelaire, affleure une glose prosaïque et diffuse du deuxième quatrain de *La Vie antérieure* (*Les Fleurs du mal*, XII).

8. Les trois mots écrits sur la muraille de la salle royale du palais de Balthazar par une main invisible, lui signifiant que Dieu avait compté les jours de son règne, l'avait pesé et avait divisé son royaume, c'est-à-dire les mots fatidiques annonçant sa mort et la ruine de son royaume (Daniel, V, 25-28).

9. Sorte de vampires, supposés dévorer les corps morts dans les cimetières.

10. Dans *La Comédie de la mort*, Gautier consacre douze sizains au dialogue de la jeune trépassée et du Ver, symbole du néant dévorateur :

> *Je viens pour accomplir le solennel mystère.*
> *J'entre en possession.*
> *Me voilà ton époux, je te serai fidèle.*

MARCO (p. 107)

Dans toutes les éditions, le titre appelle cette note : « L'auteur prévient que le rhythme et le dessin de cette ritournelle sont empruntés à un poème faisant partie du recueil de M. J. T. de Saint-Germain : *les Roses de Noël (Mignon)*. Il a cru intéressant d'exploiter au profit d'un tout autre ordre d'idées une forme lyrique un peu naïve peut-être mais assez harmonieuse toutefois dans sa maladresse même, et qui n'a point trop mal réussi, ce semble, à son inventeur, poète aimable. »

Vers 4 cahutte *1866 corrigé en* cahute

1. Nom de l'héroïne — une courtisane vénale et ardente — d'un drame de Th. Barrière et L. Thiboust, *Les Filles de marbre* (1853), dont la chanson, en vogue sous le Second Empire, est citée par Alphonse Daudet (*Tartarin de Tarascon*, ch. VII) et le nom souvent mentionné, par exemple par Albert Glatigny dans *Pour une comédienne* (*Les Vignes folles*, 1860). (Voir Bornecque, 1952, pp. 192-193 ; Robichez, 1995, p. 536.)

2. À la source du poème de Verlaine, comme le dit sa note, un poème de Jules Tardieu — sous le pseudonyme de J. T. de Saint-Germain —, intitulé *Rêverie* et dont l'héroïne se nomme Mignon, publié dans *Les Roses de Noël. Dernières Fleurs* en 1860. Pour le rythme et pour le dessin, mais plus précisément pour le nombre et la forme des strophes — six neuvains de décasyllabes — comme pour la répétition du premier hémistiche au neuvième vers des cinq premières strophes et pour la disposition des rimes, la pièce de Verlaine se calque sur son modèle. La substitution de la baudelairienne « femme impure » — et très verlainienne Marco — à la tendre et fade Mignon pouvait rendre d'autant plus piquant pour le matois Verlaine le contraste entre la naïveté soulignée du modèle et la perversité voulue du « tout autre ordre d'idées » qu'il y insérait. Pour éclairer la comparaison, voici les deux derniers neuvains de Tardieu (d'après Robichez, 1995, p. 537) :

> *Quand Mignon dormait, les palmes des saules*
> *venaient effleurer ses blanches épaules,*
> *formaient sur son front un vert parasol*
> *et comme un tapis rampaient sur le sol.*
> *Le flambeau du jour modérait sa flamme;*
> *le vent parlait pas; l'oiseau suspendait*
> *le chant commencé; le pavot versait*
> *sur ses beaux yeux clos son plus pur dictame,*
> > *Quand Mignon dormait.*
>
> *Mais quand elle aimait, quand Mignon la belle*
> *a choisi l'ami, le cœur digne d'elle;*
> *Quel beau rêve d'or! quelle fête au ciel!*
> *C'était pour toujours la lune de miel!...*
> *— Il n'a pas touché ses lèvres de flamme;*
> *pour ces baisers-là l'homme n'est pas fait;*
> *il vit dans ses yeux le ciel qu'il rêvait.*
> *En touchant sa main, il a rendu l'âme,*
> > *Celui qu'elle aimait.*

3. Faut-il penser, comme la raison et Littré y invitent, que Sodome désigne ici la ville biblique de Palestine où « toute sorte de luxure est pratiquée » ? Ou faut-il en croire la rime (« jeunes hommes / Sodomes ») et l'ambiguïté du titre « Marco », et les jeux équivoques d'Amour et d'Amitié (v. 3 et 4), enfin laisser place au doute sur la nature du désir qui peut-être s'avance masqué ?

4. Mythologisme archaïsant comme dans *Il Bacio* (v. 3). Allégorisme fréquent dans la poésie de la Renaissance. Chez Ronsard, dans « L'an se rajeunissait... » (*Le Second Livre des Amours*, 1572, LXI, v. 9-10) :

> *Amour, qui ce jour là si grandes beautez vit,*

Dans un marbre, en mon cœur d'un trait les escrivit.

ou encore dans le même recueil (CXXX, v. 1) : « Amour me tient pris ».

5. Mot rare pour Littré, qui se trouve chez Baudelaire, dans *Le Goût du néant* (*Les Fleurs du mal*, LXXX) :

> *Et je n'y cherche plus l'abri d'une cahute.*

6. Deux hardiesses métaphoriques à la manière de Baudelaire, qui vante l'alliance du concret et de l'abstrait, l'illustrant cependant de préférence du clair-obscur de la comparaison ou de métaphores plus prudentes, comme celle du parfum qui « rôde » (*Les Fleurs du mal*, LVIII, *Chanson d'après-midi*). Si la danse des « parfums mystiques » peut encore se prévaloir d'une analogie entre le mouvement, erratique ou harmonieux, de l'émanation et celui de la danse, le « charme » — pouvoir d'enchanter, de captiver — qui « glisse » sur des « cheveux roux » ne trouve que peu d'étai sur quelque analogie — reflet ? odeur ? mouvement ?

7. Si, comme le suggère J. Robichez, l'italique souligne, non une citation, mais une réplique allusive à l'expression contraire, « cieux inconnus », quasi cliché du transport mystique, c'est au dernier vers de *La Mort des pauvres* (*Les Fleurs du mal*, CXXII) que Verlaine oppose peut-être les « cieux *connus* » d'un transport d'enthousiasme beaucoup moins mystique :

> *C'est le portique ouvert sur les Cieux inconnus !*

8. Réminiscence diffuse de Baudelaire, *À une passante* (*Les Fleurs du mal*, XCIII) :

> *Agile et noble, avec sa jambe de statue.*
> *[...]*
> *Un éclair... puis la nuit !*

9. Cet oxymore plutôt opaque pourrait trouver sa source dans l'image baudelairienne de la prostituée, criminelle et salutaire, dans la pièce XXXV des *Fleurs du mal* : « Tu mettrais l'univers entier dans ta ruelle » :

> *Machine aveugle et sourde, en cruautés féconde !*
> *Salutaire instrument, buveur du sang du monde.*

CÉSAR BORGIA (p. 111)

Choix de poésies, Bibliothèque Charpentier, 1891.

Le sous-titre PORTRAIT EN PIED *figurant sur la page de faux-titre en 1866, 1890 et 1894 est supprimé dans CP 1891.*

Vers 22 Élancée hors de *1866 — Verlaine écrit à Léon Vanier* en 1887 : « Nous réimprimerons sans doute bientôt les *Poèmes saturniens*. Il n'y a qu'un changement à faire. Le dernier vers de *César Borgia* doit être modifié comme ceci :

Émise hors du nœud de rubis qui s'allume,

l'autre vers :

Élancée hors, etc.

avait treize pieds. C'est même Anatole France qui me l'a fait remarquer, il y a quelque vingt ans » (lettre du 6 décembre 1887).

L'exemplaire de l'édition originale des *Poèmes saturniens* conservé à la Réserve de la Bibliothèque Nationale sous la cote Rés. p Ye 1151 contient, inséré à la page 136, un petit bulletin d'abonnement à la revue *Le Sagittaire, Revue mensuelle d'art et de littérature*, dont le verso présente la correction manuscrite : « *Élancée* hors... / à corriger ainsi : / Émise hors...

1. Prince italien (1476-1507), fils naturel du pape Alexandre VI (Roderigo Borgia), frère de Lucrèce, cardinal puis chef de guerre, qui servit de modèle au *Prince* de Machiavel. On connaît de lui quelques portraits, dont l'un, attribué à Raphaël et conservé à la Galerie Borghese à Rome, pourrait avoir servi, selon J.-H. Bornecque (1952, p. 194), de modèle, en partie au moins, à Verlaine. Du côté des ressemblances : le visage de trois-quarts, les traits du visage, la toque et sa plume, la position des mains ; mais ce n'est pas un portrait en pied ; nul décor n'en compose le fond. On peut penser que Verlaine, d'ailleurs acquis à la transposition d'art dans *Eaux-fortes* comme dans *Paysages tristes*, s'essaie ici plus ouvertement à l'ecphrasis. Il ne paraît donner ni la description d'un tableau imaginaire, ni exactement celle d'un portrait réel, mais plutôt, instruit de l'intérêt pour la description picturale chez les Parnassiens, lecteur de Gautier, disciple attentif de Baudelaire surtout, il se plie à l'inspiration plastique de mise à l'époque, non sans tenter d'illustrer le principe que Baudelaire consigne, entre autres formules, à propos de la « meilleure critique » (*Salon de 1846*) :

> *non pas celle-ci, froide et algébrique, qui, sous prétexte de tout expliquer, n'a ni haine ni amour, et se dépouille volontairement de tout espèce de tempérament ; mais, — un beau tableau étant la nature réfléchie par un artiste, — celle qui sera un tableau réfléchi par un esprit intelligent et sensible. Ainsi le meilleur compte-rendu d'un tableau pourra être un sonnet ou une élégie.*

2. Poètes latins du Ier siècle avant J.-C.

3. L'archaïsme « vont contrastant », bien différent de ses emplois dans *Prologue* (« que va poussant » v. 81) ou dans

Clair de lune (« que vont charmant » v. 2, dans *Fêtes galantes*) n'a guère de sens ici.

LA MORT DE PHILIPPE II (p. 115)

Vers 57 vigne *1866 corrigé en* vigne.
Vers 58 marmottement *1866 corrigé en* marmottement,
Vers 112 tombeau *1866 corrigé en* tombeaux

1. Philippe II (1527-1598), roi d'Espagne (1556-1598), chef de guerre ambitieux, laisse surtout l'image d'un champion de la Contre-Réforme, religieux jusqu'au fanatisme, tenant d'un absolutisme catholique qu'il imposa, non sans revers, par la terreur et l'appui de l'Inquisition. Verlaine a pu en trouver la figure chez Victor Hugo dans *La Rose de l'Infante* (*La Légende des siècles*, I, 1859), et dans le *Don Carlos* de Schiller — peut-être dans la traduction en vers d'Adrien Brun (Amyot, 1860 — voir Robichez, 1995, p. 539). Il s'essaie au genre épique plus qu'il ne se soucie de restituer la vérité historique de son personnage, dont les historiens commencent seulement au milieu du xixᵉ siècle à nuancer le portrait-charge popularisé dans la tradition littéraire (voir Robichez, *ibid.*).

La dédicace à Louis-Xavier de Ricard, fondateur de la *Revue du progrès moral* en 1863, année où s'engageait une lutte violente entre l'Église et la libre-pensée — illustrée par Taine, Renan, Littré... — , et condamné en 1864 à trois mois de prison pour outrage à la religion, s'explique par le caractère anti-chrétien de la pièce dont Verlaine lui fait l'hommage. Il saluait aussi l'un des plus efficients fondateurs du *Parnasse* (voir L.-X. de Ricard, *Petits Mémoires d'un Parnassien*).

2. La maladie de Philippe II l'accable en août et septembre 1598.

3. Voir *Bruxelles. Simples fresques. I* :

> *L'or, sur les humbles abîmes,*
> *Tout doucement s'ensanglante.*

>   (*Romances sans paroles*)

4. Mot espagnol (« scies »), désignant des reliefs allongés à sommets aigus ou plats. Ici pour l'opposition, tout hugolienne, avec la plaine, afin de résumer la totalité du paysage. Le mot se rencontre chez Hugo dans *Grenade* (*Les Orientales*), chez Gautier, *Dans la sierra* (*España*), et dans *Voyage en Espagne*.

5. Rivière qui sort de la sierra de Guadarrama et traverse la province de Madrid.

6. Voir Gautier, *L'Escurial* (*España*) :

> *Posé comme un défi tout près d'une montagne,*
> *L'on aperçoit de loin dans la morne campagne*
> *Le sombre Escurial, à trois cents pieds du sol,*
> *Soulevant sur le coin de son épaule énorme,*
> *Éléphant monstrueux, la coupole difforme,*
> *Débauche de granit du Tibère espagnol.*

L'Escurial, monastère et palais royal, fut édifié sur l'ordre de Philippe II dans la sierra de Guadarrama, pour commémorer la victoire de Saint-Quentin remportée contre les Français le jour de la Saint-Laurent (10 août 1557), sur un plan que l'on compare traditionnellement à un gril, instrument du supplice de saint Laurent.

7. Au sens ancien : blessent.

8. Garnies d'ornements ou de figures gravées en creux dans le métal et remplies d'une sorte d'émail noir, mélange de plomb, d'argent et de soufre.

9. *Cf.* Baudelaire, *Spleen* : « un jour noir plus triste que les nuits » (*Les Fleurs du mal*, LXXVII).

10. Étoffe analogue au velours, à poils plus longs et moins serrés.

11. Étoffe tissée d'un mélange de plusieurs couleurs, et d'or ou d'argent enrichi de fleurs et d'une variété de figures.

12. Du vers 34 au vers 48, nouvel exemple d'ecphrasis : plans, lumières, couleurs, les personnages étant représentés comme des figures dans l'espace par leurs aspects colorés et lumineux. La suite de la description, des vers 49 à 72, se présente comme un premier plan, façonné par la description des formes visibles, des lignes et des teintes ; cependant, les notations temporelles et sonores rompent avec le tableau qui précède.

13. Terme de blason, désignant un serpent.

14. Fleur d'automne d'un rouge pourpre.

15. Nom médiéval du médecin apothicaire ; archaïsme dès la fin du XVIe siècle.

16. S'effarouche.

17. Sacrement de l'Eucharistie administré aux mourants.

18. Nom donné autrefois à certains danseurs costumés d'une manière bouffonne, selon Littré, qui note l'emploi plus tardif du mot dans « un sens moqueur et grotesque » et cite la didascalie de Molière, dans *Monsieur de Pourceaugnac* : « Monsieur de Pourceaugnac, mettant son chapeau pour se garantir des seringues, est suivi par les deux médecins et par les matassins » — d'où vient peut-être la méprise de Verlaine, qui donne à « matassin » le sens de médecin, à moins qu'il n'emploie volontairement un terme dérisoire pour désigner le « médecin du corps ».

19. Du frère.

20. Un acte d'amour envers Dieu.

21. Institution ecclésiastique destinée à punir l'hérésie, dont la procédure fut fixée au concile de Toulouse (1229) et dont l'action se répandit en Europe dès 1240. L'Inquisition d'Espagne, fondée en 1479 par Ferdinand V et Isabelle la Catholique, placée sous le contrôle de l'État, s'exerça avec virulence contre les musulmans, les juifs et les protestants, en particulier sous le règne de Philippe II.

22. Fernando Alvarez de Tolède, duc d'Albe (1507-1582), nommé gouverneur des Pays-Bas par Philippe II, avec pleins pouvoirs pour extirper le protestantisme des Flandres, y fit régner la plus sanglante terreur.

23. Louange.

24. Fils de Philippe II (1545-1568), à qui l'on prêta une liaison avec sa belle-mère, Elizabeth de France, soupçonné de trahison et arrêté en 1568, il mourut en prison ; rien ne prouve que Philippe II ait fait tuer son fils.

25. Oindre : terme religieux : consacrer (un évêque, un roi) avec les huiles saintes.

26. Dans cette pièce composée de deux séquences de 32 et 17 tercets, selon la formule de la *terza rima* (aba, bcb, cdc...), Verlaine se conforme au modèle choisi en achevant chaque séquence par un vers isolé qui reprend la rime du 2e vers du dernier tercet (aba — b). Il pouvait en trouver maints exemples chez Gautier (par exemple dans *À Zurbaran*), chez Banville (dans *Les Cariatides* et les *Odes funambulesques*), chez Leconte de Lisle surtout (*La Vigne de Naboth*, *La Vision de Snorr*, *Le Jugement de Komor*, *Le Barde de Temrah*, *À l'Italie*, dans les *Poésies barbares* [1862], où Verlaine avait pu lire aussi *L'Agonie d'un saint*, qui n'est pas sans rapport avec sa *Mort de Philippe II*).

ÉPILOGUE (p. 123)

Vers 4 sœur 1866 corrigé en sœur.

1. L'*Épilogue* et le *Prologue* se répondent, non par les images, mais par le commun souci de définir et d'exalter la poésie et le rôle du poète. Et aussi par les figures du livre, qui se font écho, l'une lapidaire (*Prologue*, v. 102), l'autre développée, méditation sur le livre clos (*Épilogue*, v. 17-28). Sans doute pense-t-on que dans l'orgueilleux contempteur des foules, tout entier dévoué à l'amour du Beau, dessiné dans le *Prologue*, comme dans le hiératique sculpteur du vers de l'*Épilogue*, se reconnaissent bien des voix étrangères et un peu

confusément mêlées, celles de Leconte de Lisle, mais aussi de
Hugo, de Gautier, de Baudelaire, et se distingue bien peu Verlaine. S'il s'exprime, c'est plutôt en effet dans le paysage men-
tal qui compose la première séquence. Et peut-être aussi, ran-
gées les cymbales et trompettes d'une éloquence d'emprunt,
dans cette méfiance envers l'Inspiration à la manière romantique, sans doute sincère chez le poète déjà né, dans *Soleils
couchants* ou *Chanson d'automne*, de la musicalisation réflé-
chie de la langue poétique et de l'impression.

2. Au sens strict : à l'entour, qui environne.

3. Au sens métaphorique, bien attesté dans le langage poétique dans baisers de l'onde, du soleil, etc. Hugo l'emploie
ainsi dans « les baisers de l'azur superbe » (*Les Contemplations, Magnitudo parvi*, v. 798). Et plus tard, Mallarmé : « Vertige ! voici que frissonne / L'espace comme un grand baiser »
(*Autre Éventail*), et Rimbaud : « Le Baiser d'or du Bois, qui se
recueille » (*Tête de faune*).

4. Réminiscence possible des *Rayons jaunes*, « le plus beau
poème à coup sûr de cet admirable recueil, *Joseph Delorme* »,
écrit Verlaine (*Charles Baudelaire, L'Art*, 16 novembre 1865),
et dans lequel Sainte-Beuve rend ainsi la tranfiguration du
souvenir à l'heure des « jaunes rayons que le couchant
ramène » :

> *La lampe brûlait jaune, et jaune aussi les cierges ;*
> *Et la lueur glissant aux fronts voilés des vierges,*
>   *Jaunissait leur blancheur ;*
> *Et le prêtre vêtu de son étole blanche*
> *Courbait un front jauni, comme un épi qui penche*
>   *Sous la faux du faucheur.*

5. Voir *L'Angoisse*, v. 1-4.

6. Voir *Mon rêve familier*, v. 7.

7. Prompt : qui éprouve, qui ressent vite.

8. Dernier des « paysages » recueillis dans les *Poèmes saturniens*, ce paysage d'accalmie pourrait exprimer l'état d'une
âme consolée et apaisée par le livre fini, vers lequel, dans la
seconde séquence, le poète tourne un regard rétrospectif. Sa
place serait ainsi justifiée par la reprise des motifs les plus
personnels des pièces qui précèdent, préludant à une conclusion plus traditionnelle sur la matière du livre et sur la nature
de la poésie. Le mot de transition, « Pensons », est repris,
selon J. Robichez, du laconique « Causons » de Victor Hugo,
dans *Réponse à un acte d'accusation*, comme les premiers
mots de la deuxième séquence (Robichez, 1995, pp. 541-542).

9. Voir *Nocturne parisien*, v. 25, et *La Mort de Philippe II*,
v. 8.

10. Voir *Vœu*, v. 6.

11. Par ce langage d'artisan-poète qui, le livre fait, écarte tout ensemble, pour un futur usage, vers, rime, rythme, ressouvenirs, rêves et images, comme purs matériaux d'art, Verlaine enchérit, comme il le dira à la fin de sa vie, sur l'Impassibilité du maître, sous la bannière duquel il se range, et de l'école à laquelle il se rallie pour l'heure. En 1893, il jugera ainsi son allégeance : « Depuis, ces vers et ces théories me semblent puérils ; honnêtes, les vers, mais puérils d'autant plus. Pourtant l'homme, qui était sous le jeune homme un peu pédant que j'étais alors, jetait parfois ou plutôt soulevait le masque et s'exprimait en plusieurs petits poèmes tendrement » (conférence faite à Anvers le 1ᵉʳ mars 1893).

12. Carrière : terme de manège, signifie la course que peut fournir un cheval, l'espace qu'il peut parcourir, en particulier dans l'expression : fournir sa carrière. Voir pour la métaphore, le sonnet liminaire des *Œuvres* (1584) de Ronsard, dont Verlaine emprunte l'incipit dans le *Prologue* (v. 102) :

> *Vole bien tost, j'entends desja derriere*
> *De mes suivans l'envieuse roideur*
> *Opiniastre à devancer l'ardeur*
> *Qui me poussait en ma course premiere.*
>
> *(À mon livre. Sonet)*

13. Elliptiquement : fixée (du regard).

14. Voir Hugo, *Fonction du poète* (*Les Rayons et les Ombres*, 1840) :

> *Car la poésie est l'étoile*
> *Qui mène à Dieu rois et pasteurs !*

15. Souffle créateur qui anime les artistes et les poètes, considérée comme un don des dieux, l'inspiration s'exprime dans la tradition depuis Platon et Aristote par la fureur, le délire, le transport, l'enthousiasme, s'incarne dans les Muses ou dans un démon, et trouve ses emblèmes le plus souvent repris dans la lyre et dans le luth. Dans ce manifeste contre l'inspiration, Verlaine exprime, en l'outrant sans doute, la même position que dans son article de 1865 consacré à Baudelaire :

> *Une autre guitare qu'il serait temps aussi de reléguer parmi les vieilles lunes [...], c'est l'Inspiration, — l'Inspiration — ce tréteau ! — et les Inspirés — ces charlatans ! —*

S'appuyant sur une citation — un peu inexacte — des *Notes nouvelles sur Edgar Poe*, qui dénonce les « fatalistes de l'inspiration », il commente :

> *Comme cela vous venge bien — n'est-ce pas ? — des luths, des harpes, des brouillards, et des trépieds ?*
>
> *(Charles Baudelaire, L'Art, 30 novembre 1865)*

À la suite de Baudelaire, à l'inspiration, et surtout à son mésusage propice aux épanchements immodérés et à la facilité de style, il substitue l'imagination. Il reprend aussi les idées exprimées dans *L'Art*, en particulier par Louis-Xavier de Ricard (voir Robichez, 1995, p. 545).

16. Égérie : nymphe de Rome, passant pour la conseillère du pieux roi Numa, dont le nom, passé dans la langue, désigne une inspiratrice.

17. Le *genius* — et non *genium* — était pour les Romains le génie attaché à chaque homme de sa naissance à sa mort.

18. Erato : l'une des neuf Muses, présidant à la poésie lyrique, surtout amoureuse.

19. C'est-à-dire : les premiers cerveaux venus.

20. Métaphore, préparée par la comparaison dépréciative avec les « pissenlits », résolument plate, qui renvoie à la métaphore conventionnelle des poèmes : « fleurs ».

21. Sur le même plan, les emblèmes de la *furor* poétique, hérités de l'Antiquité gréco-romaine, et les symboles chrétiens de l'inspiration ou de l'illumination. De même, en pendants, Gabriel (le messager de Dieu, représenté avec un luth, emblème de l'inspiration poétique, dont témoigne la locution « prendre son luth », pour « composer des vers ») et Apollon (dieu de la musique et de la poésie, porteur de la lyre inventée par Hermès, passant pour inspirer les poètes et les prophètes). D'Apollon et du personnage de la Muse, Verlaine propose dans *Charles Baudelaire* une tout autre image :

> *La Muse, ah ! ne profanons pas plus longtemps ce mot auguste, non plus que le mot Apollon, les deux plus magnifiques symboles peut-être que nous ait laissés l'antiquité grecque ; la Muse, c'est l'imagination qui se souvient, compare, perçoit. Apollon, c'est la volonté qui traduit, exprime, rayonne !*

(*L'Art*, 30 novembre 1865)

Il dénonçait dans le même article une fausse conception de l'inspiration, et citait Baudelaire à l'appui :

> *Certains écrivains affectent l'abandon, visant au chef-d'œuvre les yeux fermés, pleins de confiance dans le désordre et attendant que les caractères jetés au plafond retombent en poème sur le parquet... les amateurs du hasard, les fatalistes de l'inspiration... les fanatiques du vers blanc...*

22. Entendons que cette vénération, qui se traduit chez Leconte de Lisle (*Poèmes antiques*, *Poèmes barbares*), chez

Banville (*Les Cariatides*) et chez plusieurs Parnassiens par une abondante résurrection des dieux les plus divers de l'Inde au panthéon classique en passant par les divinités de second ordre, est toute littéraire.

23. À la différence de Dante, guidé par Béatrice vers le Paradis dans *La Divine Comédie*, les Parnassiens n'admettent aucune métaphysique de la poésie.

24. De la métaphore du poète-ciseleur, les exemples sont nombreux. Bornecque (1952, p. 197) cite ces deux-ci de Banville :

> *Quand sa chasse est finie*
> *Le poète oiseleur*
> *Manie*
> *L'outil du ciseleur.*
>
> > (*Odelettes*, À *Théophile Gautier*, dans
> > *Les Cariatides*, nouvelle édition, 1864)

de Gautier :

> *Sculpte, lime, cisèle ;*
> *Que ton rêve flottant*
> *Se scelle*
> *Dans le bloc résistant !*
>
> > (*Émaux et Camées*, *L'Art*)

25. Voir *Charles Baudelaire* (*L'Art*, 23 décembre 1865) :

> *Ce qu'on remarquera dès l'abord, pour peu que l'on examine la confection des poèmes de Baudelaire, c'est, au beau milieu de l'expression du plus grand enthousiasme, de la plus vive douleur, etc., le sentiment d'un très grand calme, qui va souvent jusqu'au froid et quelquefois jusqu'au glacial : charme irritant et preuve irrécusable que le poète est bien maître de lui et qu'il ne lui convient pas toujours de le laisser ignorer.*

26. Allusion ironique au sentimentalisme lamartinien, illustré par son célèbre poème, *Le Lac*, et que les Parnassiens sont unanimes à dénoncer.

27. Cette longue hyperbole (v. 57-68), qui développe un idéal du poète pétri de volonté et hanté par l'étude dont l'objet demeure bien vague, manifestement éloigné de la manière verlainienne d'être poète, a l'intérêt de rendre sensible l'espèce d'héroïsme à vide, ou encore de vénération sans foi, qui caractérise, surtout en théorie, mais aussi dans les flamboiements vains d'un Leconte de Lisle ou d'un Heredia, l'envers du romantisme.

28. Imagerie empruntée à Leconte de Lisle : voir *Le Sommeil du condor* et *Le Jaguar* (*Poèmes barbares*).

29. À ces déclarations de principe, Verlaine sera tout aussi infidèle que Baudelaire à cette image du poète ascétique, peut-être ici sous-jacente :

> *Les poètes, devant mes grandes attitudes,*
> *Que j'ai l'air d'emprunter aux plus fiers monuments,*
> *Consumeront leurs jours en d'austères études.*

(*La Beauté, Les Fleurs du mal*, XVII)

Voir aussi Banville, *Ceux qui meurent et ceux qui combattent* (*Les Cariatides*, nouvelle édition, 1864).

30. Verlaine fustige de même les « Passionnistes » dans *Charles Baudelaire* (*L'Art*, 23 novembre 1865), et reprend à son compte le principe mainte fois affirmé par son aîné dans *Notes nouvelles sur Edgar Poe* (1857), que Verlaine cite dans son article, ou encore en 1863 dans *L'Œuvre et la Vie d'Eugène Delacroix* : « Delacroix était passionnément amoureux de la passion, et froidement déterminé à chercher les moyens d'exprimer la passion de la manière la plus visible. »

31. Voir *Çavitrî*, note 5. Dans son compte rendu de *Les Œuvres et les Hommes* de Barbey d'Aurevilly (*L'Art*, 2 novembre 1865), Verlaine écrit à propos d'*Émaux et Camées* :

> *Il faut, certes, avoir la berlue ou un étrange parti pris pour découvrir de l'émotion, comme l'entendent MM. Barbey d'Aurevilly et consorts, dans ces poèmes d'une sérénité marmoréenne digne de Goethe, et par cela même indigne de l'admiration de ces messieurs. Autant, morbleu ! trouver émue et passionnée la Vénus de Milo !*

Voir aussi Banville, *À Vénus de Milo* (*Les Cariatides*), Leconte de Lisle, *Vénus de Milo* (*Poèmes antiques*), Gautier, *Le Poème de la femme. Marbre de Paros* (*Émaux et Camées*), L.-X. de Ricard, *À Vénus de Milo* (*Ciel, rue et foyer*, 1865). Sur ce thème éculé, voir Bornecque, 1952, p. 202. Plus qu'il ne cède au cliché de l'impassibilité du poète à la manière de Leconte de Lisle, Verlaine exprime dans ce symbole, illustration du principe qu'il défend à la suite de Baudelaire, l'union parfaite de la passion du poète et de la froideur résolue des moyens qui l'expriment.

32. Voir Gautier, *L'Art* (*Émaux et Camées*) :

> *Lutte avec le carrare,*
> *Avec le paros dur*
>   *Et rare,*
> *Gardiens du contour pur.*

33. Le colosse de Memnon, nom donné selon la tradition à l'une des statues colossales élevées par Amenotep III. On imaginait qu'au contact des premiers rayons du soleil, elle émettait une musique mélodieuse. Cet exemple rapporté par Ovide fait partie de la culture des jeunes lycéens au XIXᵉ siècle. Voir Banville dans *La Voie lactée* (*Les Cariatides*) :

> *Des hommes, poursuivant leur but intérieur,*
> *[...]*
> *À la postérité, cette voix qui féconde,*
> *Chantèrent au soleil, harmonieux Memnons.*

34. Sur le modèle généreusement illustré par Victor Hugo du « pâtre promontoire » ou de « l'océan Nombre » (Robichez, 1995, p. 544), association plus resserrée que l'apposition, forme efficace de métaphore. On la trouve auparavant chez Ronsard : *L'Amour oyseau* (*Le Second Livre des Amours*, 1572).

35. Résurgence d'un cliché d'auteur, aimé des romantiques, que cette image des « Temps moroses », c'est-à-dire d'un présent hostile au poète.

36. Expression traditionnelle du destin incertain de l'œuvre littéraire pour l'auteur qui la livre au public. Voir Ronsard (*Le Second Livre des Amours*, LXVIII, 1584) :

> *Cesse tes pleurs, mon livre : il n'est pas ordonné*
> *Du destin, que moy vif tu sois riche de gloire*
> *[...]*
>
> *Quelqu'un apres mille ans de mes vers estonné*
> *[...]*

Victor Hugo (préface aux *Feuilles d'automne*) :

> *Il laisse donc aller ce livre à sa destinée, quelle qu'elle soit, liber, ibis in urbem, et demain il se tournera d'un autre côté. Qu'est-ce d'ailleurs que ces pages qu'il livre ainsi, au hasard, au premier vent qui en voudra ?*

Ou encore Baudelaire :

> *Je te donne ces vers afin que si mon nom*
> *Aborde heureusement aux époques lointaines,*
> *Et fait rêver un soir les cervelles humaines,*
> *Vaisseau favorisé par le grand aquilon,*
>
> *Ta mémoire, pareille aux fables incertaines,*
> *Fatigue le lecteur ainsi qu'un tympanon.*

ANNEXES

CHARLES BAUDELAIRE[1]

I

Parlez de Charles Baudelaire à quelques-uns de ces amateurs qui forment le zéro des cent-cinquante Parisiens naïfs assez pour lire encore des vers, il vous répondra infailliblement, ce zéro, qui est un multiplicateur, par le cliché suivant : « Charles Baudelaire, attendez donc. Ah! oui! celui qui a chanté la Charogne! » Ne riez pas. Le mot m'a été dit, à moi, par un « artiste », et à d'autres, peut-être bien par vous, lecteur...

Voilà pourtant comme se font les réputations littéraires dans ce pays éminemment spirituel qui a nom la France, comme chacun sait. C'est, du reste, un peu l'histoire des *Rayons jaunes*, le plus beau poème à coup sûr, de cet admirable recueil, *Joseph Delorme*, que pour mon compte je mets, comme intensité de mélancolie et comme puissance d'expression, infiniment au-dessus des jérémiades lamartiniennes et autres. Le public et la critique firent, en ce temps-là, des plaisanteries fort délicates sur le pauvre Werther carabin, pour me servir du foudroyant bon mot de ce poétique M. Guizot.

Le public est bien toujours le même. La critique, reconnaissons-le, comprend mieux ses devoirs qui sont, non de hurler avec les loups et de flatter les goûts du public, mais de le ramener, ce public hostile ou indifférent, au véritable critérium en fait d'art et de poésie, et cela de gré ou de force. Le public est un enfant mal élevé qu'il s'agit de corriger.

II

La profonde originalité de Charles Baudelaire, c'est, à mon sens, de représenter puissamment et essentiellement l'homme moderne; et par ce mot, l'homme moderne, je ne veux pas, pour une cause qui s'expliquera tout à l'heure, désigner

---

1. Article publié dans *L'art*, I et II, le 16 novembre 1865, III et IV, le 30 novembre 1865, V, VI et VII, le 23 décembre 1865.

l'homme moral, politique et social. Je n'entends ici que l'homme physique moderne, tel que l'ont fait les raffinements d'une civilisation excessive, l'homme moderne, avec ses sens aiguisés et vibrants, son esprit douloureusement subtil, son cerveau saturé de tabac, son sang brûlé d'alcool, en un mot, le *bilio-nerveux* par excellence, comme dirait H. Taine. Cette individualité de sensitive, pour ainsi parler, Charles Baudelaire, je le répète, la représente à l'état de type, de *héros*, si vous voulez bien. Nulle part, pas même chez H. Heine, vous ne la retrouverez si fortement accentuée que dans certains passages des *Fleurs du mal*. Aussi, selon moi, l'historien futur de notre époque devra, pour ne pas être incomplet, feuilleter attentivement et religieusement ce livre qui est la quintessence et comme la concentration extrême de tout un élément de ce siècle. Pour preuve de ce que j'avance, prenons, en premier lieu, les poèmes amoureux du volume des *Fleurs du mal*. Comment l'auteur a-t-il exprimé ce sentiment de l'amour, le plus magnifique des lieux communs, et qui, comme tel, a passé par toutes les formes poétiques possibles ? En païen comme Goethe, en chrétien comme Pétrarque, ou, comme Musset, en enfant ? En rien de tout cela, et c'est son immense mérite. Traiter des sujets éternels, — idées ou sentiments, — sans tomber dans la redite, c'est là peut-être tout l'avenir de la poésie, et c'est en tout cas bien certainement là ce qui distingue les véritables poètes des rimeurs subalternes. L'amour, dans les vers de Ch. Baudelaire, c'est bien l'amour d'un Parisien du xixe siècle, quelque chose de fiévreux et d'analysé à la fois ; la passion pure s'y mélange de réflexion, et si les nerfs égarent par moment l'intellect, en décuplant l'action des sens, le *nescio quid amarum* de Lucrèce, qui n'est autre que l'incompressible essor de l'âme vers un idéal toujours reculant, fait entendre sans cesse à l'oreille obsédée son implacable rappel à l'ordre. Me suis-je bien fait comprendre ? Quelques citations élucideront peut-être mieux ma pensée :

SEMPER EADEM

« D'où vous vient, disiez-vous, cette tristesse étrange,
Montant comme la mer sur le roc noir et nu ? »
Quand notre cœur a fait une fois sa vendange,
Vivre est un mal, c'est un secret de tous connu,

Une douleur très simple et non mystérieuse
Et, comme votre joie, éclatante pour tous.
Cessez donc de chercher, ô belle curieuse !
Et, bien que votre voix soit douce, taisez-vous !

Taisez-vous, ignorante ! âme toujours ravie,
Bouche au rire enfantin ! Plus encor que la Vie
La Mort nous tient souvent par des liens subtils.

Laissez, laissez mon cœur s'enivrer d'un mensonge,
Plonger dans vos beaux yeux comme dans un beau songe,
Et sommeiller longtemps à l'ombre de vos cils.

L'AUBE SPIRITUELLE

Quand chez les débauchés l'aube blanche et vermeille,
Entre en société de l'Idéal rongeur,
Par l'opération d'un mystère vengeur
Dans la brute assoupie un ange se réveille.

Des cieux spirituels l'inaccessible azur,
Pour l'homme terrassé qui rêve encore et souffre,
S'ouvre et s'enfonce avec l'attirance du gouffre.
Ainsi, chère déesse, être lucide et pur,

Sur les débris fumeux des stupides orgies,
Ton souvenir plus clair, plus rose, plus charmant,
À mes yeux agrandis voltige incessamment.

Le soleil a noirci la flamme des bougies,
Ainsi, toujours vainqueur, ton fantôme est pareil,
Âme resplendissante, à l'immortel soleil.

Enfin, dans ce fameux et si peu compris poème de la *Charogne*, l'auteur, après avoir fait de la « Carcasse superbe » une terrible et splendide description, s'adresse à sa maîtresse, et termine par trois strophes inouïes où l'amour, à force d'idéal cherché, s'exile de lui-même par delà la mort. Lisez plutôt ces délicatesses ineffables :

Et pourtant vous serez semblable à cette ordure,
        À cette horrible infection,
Étoile de mes yeux, soleil de ma nature,
        Vous, mon ange et ma passion !

Oui, telle vous serez, ô la reine des grâces,
        Après les derniers sacrements,
Quand vous irez, sous l'herbe et les floraisons grasses,
        Moisir parmi les ossements.

Alors, ô ma beauté ! dites à la vermine
        Qui vous mangera de baisers
Que j'ai gardé la forme et l'essence divine
        De mes amours décomposées.

Cela est le côté spiritualiste de l'amour dans notre poète. Le côté sensuel et même le côté bestial s'y trouvent indiqués avec le même talent ; néanmoins, on voudra bien me dispenser, pour des motifs que comprendront toutes mes lectrices « qui veulent être respectées », de citer à leur tour, comme l'exige-raient la symétrie et l'équité, des poèmes de cette série ; je me contenterai de vous renvoyer principalement aux poèmes XXII,

XXIII, XXIV, XXVIII, XXXII et XLIX de la seconde édition des *Fleurs du mal*, et en particulier au sonnet LXIV, qui contient ces vers magnifiques d'orgueil et de désillusion :

> Sois charmante, et tais-toi; mon cœur que tout irrite,
> Excepté la candeur de l'antique animal,
> Ne veut pas te montrer son secret infernal.

Maintenant, veut-on savoir comment notre poète comprend et exprime l'ivresse du vin, autre lieu commun, chanté sur tous les tons, d'Anacréon à Chaulieu ? Le grand Goethe, qu'on rencontre partout, a, dans le *Divan*, composé un livre de l'*Échanson*, qui est un chef-d'œuvre, bien que les idées se rapprochent plutôt d'Horace que de Hafiz ou de Nisami. George Sand, dans ses *Lettres d'un voyageur*, Théodore de Banville, dans ses *Stalactites*, ont, chacun à sa façon, celui-ci lyriquement, celle-là, au point de vue philosophique et moral, exécuté de superbes variations sur cet *air connu*. Tout autre est la façon dont Charles Baudelaire a célébré le vin. Il lui a d'abord consacré une partie spéciale de son recueil où, passant en revue toutes les situations *poétiques* données où l'ivresse est applicable, il s'est incarné en plusieurs personnages et a prêté à chacun d'eux sa langue sonore et sévère. De la sorte, nous avons toute la gamme du vin, si je puis ainsi parler, depuis le *vin des amants* jusqu'au *vin de l'assassin !* en passant par le *vin des chiffonniers* et par *l'âme du vin*.

> Un soir, l'âme du vin chantait dans les bouteilles !

Ainsi de la *Mort*, troisième lieu commun, hélas! le plus banal de tous ! Ainsi de *Paris*, lieu commun aussi depuis Balzac, mais moins exploité par les poètes encore que par les romanciers. Et pourtant quel thème poétique, quel monde de comparaisons, d'images et de correspondances ! Quelle source intarissable de descriptions et de rêveries ! C'est ce qu'a compris Baudelaire, génie parisien s'il en fut en dépit de l'inconsolable nostalgie d'idéal qu'il y a en lui. Aussi quelles fantaisies à la Rembrandt que les *Crépuscules*, les *Petites Vieilles*, les *Sept Vieillards*, et, en même temps, quel frisson délicieusement inquiétant vous communiquent ces merveilleuses *eaux-fortes*, qui ont encore cela de commun avec celles du maître d'Amsterdam. Voici, comme spécimen, le poème qui ouvre les *Tableaux parisiens* :

> « Je veux pour composer chastement mes églogues,
> Coucher auprès du ciel comme les astrologues.
> Et voisin des clochers, écouter en rêvant
> Leurs hymnes solennels emportés par le vent.

Les deux mains au menton, du haut de ma mansarde,
Je verrai l'atelier qui chante et qui bavarde ;
Les tuyaux, les clochers, ces mâts de la cité ;
Et les grands ciels qui font rêver d'éternité.
Il est doux, à travers les brumes, de voir naître
L'étoile dans l'azur, la lampe à la fenêtre,
Les fleuves de charbon monter au firmament,
Et la lune verser son pâle enchantement.
Je verrai les printemps, les étés, les automnes ;
Et quand viendra l'hiver aux neiges monotones,
Je fermerai partout portières et volets,
Pour bâtir dans la nuit mes féeriques palais.
Alors, je rêverai des horizons bleuâtres,
Des jardins, des jets d'eau pleurant dans les albâtres,
Des baisers, des oiseaux chantant soir et matin,
Et tout ce que l'Idylle a de plus enfantin.
L'Émeute tempêtant vainement à ma vitre
Ne fera pas lever mon front de mon pupitre ;
Car je serai plongé dans cette volupté,
D'évoquer le Printemps avec ma volonté ;
De tirer un soleil de mon cœur et de faire
De mes pensers brûlants une tiède atmosphère. »

Quant au satanisme ultra-mathurinesque dont il a plu à Baudelaire d'enluminer ses *Fleurs du mal*, et dont quelques-uns de ces Messieurs de la Morale terre à terre lui ont fait un crime de lèse-rationalisme, je n'y vois, dans ce satanisme foncé, autre chose qu'un inoffensif et pittoresque caprice d'artiste ; or, pour ce qui est de ces caprices-là, je m'en réfère complètement à ce passage des *Orientales* : « L'espace et le « temps sont au poète, que le poète donc aille où il veut en fai- « sant ce qui lui plaît : c'est la loi. Qu'il croie en Dieu ou aux « dieux, ou à rien ; qu'il acquitte « le péage du Styx, qu'il soit « du Sabbat ; qu'il écrive en prose ou en vers, etc., c'est à mer- « veille. Le poète est libre, mettons-nous à son point de vue, et « voyons. »
Cela nous amène à parler de Charles Baudelaire artiste.

III

La poétique de Charles Baudelaire qui, s'il n'avait eu soin de la péremptoirement formuler en quelques phrases bien nettes, ressortirait avec une autorité suffisante de ses vers eux-mêmes, peut se résumer en ces lignes extraites, çà et là, tant des deux préfaces de sa belle traduction d'Edgar Poe que de divers opuscules que j'ai sous les yeux.
« Une foule de gens se figurent que le but de la poésie est un

enseignement quelconque, qu'elle doit tantôt fortifier la conscience, tantôt perfectionner les mœurs, tantôt enfin démontrer quoi que ce soit d'utile... La Poésie, pour peu qu'on veuille descendre en soi-même, interroger son âme, rappeler ses souvenirs d'enthousiasme, n'a d'autre but qu'elle-même ; elle ne peut en avoir d'autres, et aucun poème ne sera si grand, si noble, si véritablement digne du nom de poème, que celui qui aura été écrit uniquement pour le plaisir d'écrire un poème... » — « ... La condition génératrice des œuvres d'art, c'est-à-dire l'amour exclusif du Beau, l'idée fixe. »

À moins d'être M. d'Antragues, on ne peut qu'applaudir et que s'incliner devant des idées si saines exprimées dans un style si ferme, si précis et si simple, vrai modèle de prose et vraie prose de poète. Oui, l'Art est indépendant de la Morale, comme de la Politique, comme de la Philosophie, comme de la Science, et le Poète ne doit pas plus de compte au Moraliste, au Tribun, au Philosophe ou au Savant, que ceux-ci ne lui en doivent. Oui, le but de la Poésie, c'est le Beau, le Beau seul, le Beau pur, sans alliage d'Utile, de Vrai ou de Juste. Tant mieux pour tout le monde si l'œuvre du poète se trouve, par hasard, mais par hasard seulement, dégager une atmosphère de justice ou de vérité. Sinon, tant pis pour M. Proudhon. Quant à l'utilité, je crois qu'il est superflu de prendre davantage au sérieux cette mauvaise plaisanterie.

Une autre guitare qu'il serait temps aussi de reléguer parmi les vieilles lunes et qui, non moins bête, est plus pernicieuse, en ce sens, qu'un peu de vanité puérile s'en mêlant, elle fait des dupes jusque chez les poètes, c'est l'Inspiration, — l'Inspiration — ce tréteau ! — et les Inspirés — ces charlatans ! — Voilà ce qu'en dit Baudelaire, et tous les artistes l'en remercieront comme d'une bonne justice faite :

« ... Certains écrivains affectent l'abandon, visant au chef-d'œuvre les yeux fermés, pleins de confiance dans le désordre et attendant que les caractères jetés au plafond retombent en poème sur le parquet... les amateurs du hasard, les fatalistes de l'inspiration... les fanatiques du *vers blanc*... »

Comme cela vous venge bien — n'est-ce pas ? — des *luths*, des *harpes*, des *brouillards*, et des *trépieds* ? ces quelques mots dédaigneux et cinglants. Quels coups de cravache, sonores et doux à l'oreille, appliqués — combien dûment ! — sur les reins de ces énergumènes de comédie qui vont hurlant : *Deus, ecce Deus !* au nez du bourgeois qui s'effare et croit que c'est arrivé ! Et puis, à quelle hauteur la théorie qu'ils entraînent ne révèle-t-elle pas le poète, trop longtemps réduit, par d'absurdes préjugés, à ce rôle humiliant d'un instrument au service de la *Muse*, d'un clavier qu'on ouvre et qu'on ferme, qu'on achète, peut-être, d'un orgue de barbarie, d'une serinette, que sais-je, moi ! (Les idées indécentes engendrent des métaphores analogues, pardon !) La *Muse*, ah ! ne profanons pas plus longtemps ce mot auguste, non plus que le mot d'*Apollon* les deux plus magnifiques symboles peut-être que nous ait légués l'antiquité grecque; la Muse, c'est l'imagination qui se souvient, compare et perçoit. Apollon, c'est la volonté qui traduit, exprime, et rayonne! Rien de plus. C'est assez beau, je crois.

Les « Passionnistes » n'ont pas plus à se louer de Charles Baudelaire que leurs complices les Utilitaires et les Inspirés :

« Le principe de la poésie est, strictement et simplement, l'aspiration humaine vers une beauté supérieure et la manifestation de ce principe est dans un enthousiasme, une excitation à l'âme — enthousiasme tout à fait indépendant de la passion qui est l'ivresse du cœur, et de la vérité qui est la pâture de la raison. Car la passion est *naturelle*, trop naturelle pour ne pas introduire un ton blessant, discordant, dans le domaine de la Beauté pure, trop familière et trop violente pour ne pas scandaliser les purs Désirs, les gracieuses Mélancolies et les nobles Désespoirs qui habitent les régions surnaturelles de la poésie. »

N'est-ce pas, en définitive, tout ce que peuvent attendre des poètes orthodoxes ces pitoyables hérésiarques?

IV

Ce que veut Baudelaire, on l'a déjà pu deviner par ce qu'il repousse et ce qu'il veut pour le poète; c'est, tout d'abord, l'Imagination, « cette reine des facultés », dont il a donné dans son Salon de 1859 (*Revue Française*, n° du 20 juin) la plus subtile et en même temps la plus lucide définition. Le peu de place dont je dispose aujourd'hui m'empêche, à mon grand regret, de citer en entier ce morceau unique. En voici du moins quelques fragments :

— « Elle est l'analyse, elle est la synthèse, et cependant des hommes habiles dans l'analyse et suffisamment aptes à faire un résumé peuvent être privés d'imagination. Elle est cela et elle n'est pas tout à fait cela. Elle est la sensibilité et pourtant il y a des personnes très sensibles, trop sensibles peut-être, qui en sont privées. C'est l'imagination qui a enseigné à l'homme le sens moral de la couleur, du contour, du son et du parfum. Elle a créé, au commencement du monde, l'analogie et la métaphore... Elle produit la sensation du neuf... Sans elle toutes les facultés, si solides ou aiguisées qu'elles soient, sont comme si elles n'étaient pas, tandis que la faiblesse de quelques facultés secondaires excitées par une imagination vigoureuse, est un malheur secondaire. Aucune ne peut se passer d'elles, et elle peut suppléer quelques-unes... »

Après l'imagination *sine qua non*, Baudelaire exige du poète le plus exclusif amour de son métier. Une telle opinion qui chez les anciens — des hommes! — avait force de loi, il faut savoir gré à un artiste de la proférer hautement comme l'a maintes fois fait notre poète, dans ces temps de mercantilisme où tant d'Ésaüs vendraient la poésie pour un plat de lentilles!

Croyant peu à l'Inspiration, il va sans dire que Baudelaire recommande le travail! Il est de ceux-là qui croient que ce n'est pas perdre son temps que de parfaire une belle rime, d'ajuster une image bien exacte à une idée bien présentée, de chercher des analogies curieuses, et des césures étonnantes, et de les trouver, toutes choses qui font hausser les épaules à nos Progressistes quand même, gens inoffensifs, d'ailleurs. Sur ce sujet Baudelaire est implacable. N'a-t-il pas dit un jour : « L'originalité est chose d'apprentissage, ce qui ne veut pas dire une chose qui peut être transmise par l'enseignement. »

Méditez bien ce paradoxe, et prenez garde que ce ne soit d'aventure une belle et bonne et profonde vérité.

Dans un précédent article nous essayions de dégager le tempérament, l'aspect humain, l'élément intrinsèque — passez-moi le mot — de la poésie de Baudelaire. Nous avons aujourd'hui à peu près formulé son esthétique.

Prochainement nous verrons cette esthétique à l'œuvre.

V

Ce qu'on remarquera dès l'abord, pour peu que l'on examine la confection des poèmes de Baudelaire, c'est, au beau milieu de l'expression du plus grand enthousiasme, de la plus vive douleur, etc., le sentiment d'un très grand calme, qui va souvent jusqu'au froid et quelquefois jusqu'au glacial : charme irritant et preuve irrécusable que le poète est bien maître de lui et qu'il ne lui convient pas toujours de le laisser ignorer. (Recette : la poésie ne consisterait-elle point, par hasard, à ne jamais être dupe et à parfois le paraître?) Pour vous convaincre de ce que je dis là, ouvrez au hasard les *Fleurs du mal*, vous tombez par exemple sur les *Petites Vieilles*, c'est-à-dire sur le poème à coup sûr le plus pénétrant, le plus *ému* du volume. — Ne triomphez pas encore, passionnistes. — Ce poème a un accent bien vivant, n'est-ce pas, quoique les rimes en soient riches? ces vers vous remuent jusqu'au cœur, n'est-ce pas, malgré leur savante structure? l'idée si originale et si creusée de ces petites vieilles trottinant dans la boue vous impressionne, n'est-ce pas, et vous donne le frisson, malgré la correction de la phrase et en dépit de l'impeccabilité de l'expression? Et dès les premières strophes, si artistement

balancées par malheur, vous vous sentez pleins d'une angoisse
inexprimable et croissante, n'est-ce pas?

. . . .

Ces monstres disloqués furent jadis des femmes,
Éponine ou Laïs! Monstres brisés, bossus
Ou tordus, aimons-les! ce sont encor des âmes.
Sous des jupons troués et sous de froids tissus,

Ils rampent, flagellés par les bises iniques,
Frémissant au fracas roulant des omnibus,
Et serrant, sur leurs flancs, ainsi que des reliques,
Un petit sac brodé de fleurs ou de rébus;

Ils trottent, tout pareils à des marionnettes;
Se traînent, comme font les animaux blessés,
Ou dansent, sans vouloir danser, pauvres sonnettes
Où se pend un démon sans pitié! Tout cassés

Qu'ils sont, ils ont des yeux perçants comme une vrille,
Luisants comme ces trous où l'eau dort dans la nuit;
Ils ont les yeux divins de la petite fille
Qui s'étonne et qui rit à tout ce qui reluit.

Vous concluez de là, n'est-ce pas, que le poète est bien *ému*
lui-même, et que c'est cette émotion qui lui dicte, qui lui
souffle, qui lui « inspire » — lâchez le mot! — des vers si sai-
sissants: concluez.
Mais poursuivez:

— Avez-vous observé que maints cercueils de vieilles
Sont presque aussi petits que celui d'un enfant?
La Mort savante met dans ces bières pareilles
Un symbole d'un goût bizarre et captivant,

Et lorsque j'entrevois un fantôme débile
Traversant de Paris le fourmillant tableau,
Il me semble toujours que cet être fragile
S'en va tout doucement vers un nouveau berceau;

À moins que, méditant sur la géométrie,
Je ne cherche, à l'aspect de ces membres discords,
Combien de fois il faut que l'ouvrier varie
La forme de la boîte où l'on met tous ces corps.

. . . .

Que dites-vous de ce petit morceau? Pour moi, il me
charme particulièrement. J'aime à la folie ce poète s'inter-
rompant brusquement d'une description attendrissante et
attendrie pour adresser à son lecteur ébahi cette question:
« Avez-vous *observé*, etc. » — superbe d'impertinence flegmatique, qui eût mis Edgar Poe dans le ravissement et que n'eût
certes pas désavouée le grand Goethe lui-même. Et la strophe

« à moins que méditant sur la géométrie, etc. » est-elle assez ironique, assez pincée, assez cruelle, — assez sublime !

J'entends d'ici les passionnistes, ces perpétuels désappointés : « Maudit soit l'insolent artiste qui nous gâte ainsi notre plaisir, raille les larmes qu'il nous arrache et piétine notre émotion, qui est son ouvrage ! » Et les voilà tout écumants. (Deuxième recette : Irriter les passionnistes, en bon français les naïfs, n'est-ce pas au moins tout un côté de l'art ?) Et les inspirés ! je n'ose penser à ce qu'ils pensent.

VI

Je pourrais fournir vingt exemples analogues. Contentez-vous de celui des *Petites Vieilles* et convenez avec moi qu'un poète assez puissant et assez volontaire pour avoir de ces revirements et produire de tels contrastes doit être passé maître en tout ce qui concerne son métier. Aussi, je défie de citer un vers — un seul ! — de tout le recueil des *Fleurs du mal*, quelque bizarre que paraisse sa construction, quelque tourmentée que semble son allure, qui n'ait été, tel quel, mis là à dessein et prémédité de longue date. Et à ce propos, je me souviens d'avoir lu — en Belgique, il est vrai (« Pauvre Belgique ! » décidément), — un article de revue où l'on raillait, avec une grâce et une superficialité parfaites, justement ce rejet d'une strophe à l'autre, cité plus haut :

> . . . . Tout cassés
> Qu'ils sont . . . .

Vraisemblablement, le critique belge ignore ce que c'est qu'une onomatopée, « grand mot qu'il prend pour terme de chimie ». Hélas ! que de critiques français, et des plus « conséquents », sont belges en ces matières !

Nul, parmi les grands et les célèbres, nul plus que Baudelaire ne connaît les infinies complications de la versification proprement dite. Nul ne sait mieux donner à l'hexamètre à rimes plates cette souplesse qui seule le sauve de la monotonie. Nul n'alterne plus étonnamment les quatrains d'un sonnet et n'en déroule les versets de façon plus imprévue. Mais là où il est sans égal, c'est dans ce procédé si simple en apparence, mais en vérité si décevant et si difficile, qui consiste à faire revenir un vers toujours le même autour d'une idée toujours nouvelle et réciproquement ; en un mot à peindre l'*obsession*. Lisez plutôt, dans le genre délicat et amoureux, le *Balcon*, et dans le genre sombre, l'*Irrémédiable*.

Pour le vers qui est toute une atmosphère, tout un monde, le vers qui, sitôt lu, se fixe dans la mémoire pour n'en sortir jamais et y chante (ne pas confondre avec le vers-proverbe, une horreur!), je ne connais à Baudelaire, parmi les modernes, de rival qu'Alfred de Vigny, et, à tout prendre, je ne sais si aux fameux :

... Puisque vous êtes beau, vous êtes bon sans doute...
... La terre était riante et dans sa fleur première...
... Les longs pays muets longuement s'étendront...

on ne peut pas préférer, comme plus concentrés et plus vivaces encore, ces vers-ci, pris entre mille dans les *Fleurs du mal :*

... Le regard singulier d'une femme galante...
... J'ai plus de souvenirs que si j'avais mille ans...
... Un soir l'âme du vin chantait dans les bouteilles...

Baudelaire est, je crois, le premier en France qui ait osé des vers comme ceux-ci :

... Pour entendre un de *ces* concerts riches de cuivre...
... Exaspéré comme *un* ivrogne qui voit double...

Mon critique belge de tout à l'heure crierait à l'incorrection, sans s'apercevoir, l'innocent, que ce sont là jeux d'artistes destinés, suivant les occurrences, soit à imprimer au vers une allure plus rapide, soit à reposer l'oreille bientôt lasse d'une césure par trop uniforme, soit tout simplement à contrarier un peu le lecteur, chose toujours voluptueuse.

VII

Ici peut s'arrêter ce travail. Tant incomplet qu'il soit, je ne le regretterai point s'il a pu détruire à l'égard d'un poète, admirable à tant d'égards, quelques préjugés qui seraient incompréhensibles dans une autre époque que cette époque-ci, la philistine et la routinière par excellence : n'avons-nous pas encore dans les oreilles les sifflets dont s'est vu accueillir tout dernièrement, à l'ébaudissement de la galerie, l'œuvre audacieuse et ciselée de deux artistes, ayant pour les recommander vingt livres, dont quelques-uns sont des chefs-d'œuvre, et par qui? par une trentaine de jeunes provinciaux et par autant de jeunes paysans qui avaient vu du rouge.

CRITIQUE DES POÈMES SATURNIENS[1]

J'avais bien résolu, lorsque je me décidai, il y a neuf ans et
plus, à publier *Sagesse* chez l'éditeur des Bollandistes, de laisser pour toujours de côté mes livres de jeunesse, dont les
Poèmes Saturniens sont le tout premier. Des raisons autres
que littéraires me guidaient alors. Ces raisons existent toujours, mais me paraissent moins pressantes aujourd'hui.

Et puis je dus compter avec des sollicitations si bienveillantes, si flatteuses, vraiment! On n'est pas de bronze, non
plus que de bois. Quoi qu'il en soit, succédant par l'ordre de
réimpression aux *Fêtes Galantes* et aux *Romances sans
Paroles*, voici, après vingt-deux ans de quelque oubli, mon
œuvre de début, dans toute sa naïveté parfois écolière, non
sans, je crois, quelque touche par-ci par-là du définitif écrivain qu'il se peut que je sois de nos jours.

On change, n'est-ce pas? Quotidiennement, dit-on. Mais
moins qu'on ne se le figure peut-être. En relisant mes primes
lignes, je revis ma vie contemporaine d'elles, sans trop ni trop
peu de transitions en arrière, je vous en donne ma parole
d'honneur et vous pouvez m'en croire; surtout ma vie intellec-
tuelle, et c'est celle-là qui a le moins varié en moi, malgré des
apparences. On mûrit et on vieillit avec et selon le temps, voilà
tout. Mais le bonhomme, le monsieur, est toujours le même
au fond.

J'avais donc, dès cette lointaine époque de bien avant 1867,
car quoique les *Poèmes Saturniens* n'aient paru qu'à cette dernière date, les trois quarts des pièces qui les composent furent
écrites en rhétorique et en seconde, plusieurs même en troisième (pardon!) j'avais, dis-je, déjà des tendances bien décidées vers cette forme et ce fond d'idées, parfois contradictoires, de rêve et de précision, que la critique, sévère ou
bienveillante, a signalés, surtout à l'occasion de mes derniers
ouvrages.

De très grands changements d'objectif en bien et en mal, en
mieux, je pense, plutôt, ont pu, correspondant aux événe-

— **1.** Article publié dans la *Revue d'aujourd'hui*, n° 3, le 15 mars 1890. Verlaine l'avait rédigé à l'occasion de la réédition de son recueil, dans laquelle
il ne figure pas.

ments d'une existence passablement bizarre, avoir eu lieu dans le cours de ma production. Mes idées en philosophie et en art se sont certainement modifiées, s'accentuant de préférence dans le sens du concret, jusque dans la rêverie éventuelle. J'ai dit :

> *Rien de plus cher que la chanson grise*
> *Où l'indécis au précis se joint.*

Mais il serait des plus faciles à quelqu'un qui croirait que cela en valût la peine de retracer les pentes d'habitude devenues le lit, profond ou non, clair ou bourbeux, où s'écoulent mon style et ma manière actuels, notamment l'un peu déjà libre versification — enjambement, et rejets dépendant plus généralement des deux césures avoisinantes, fréquentes allitérations, quelque chose comme de l'assonance souvent dans le corps du vers, rimes plutôt rares que riches, le mot propre écarté des fois à dessein ou presque. En même temps la pensée triste et voulue telle ou crue voulue telle. En quoi j'ai changé partiellement. La sincérité, et à ses fins, l'impression du moment suivie à la lettre, sont ma règle préférée aujourd'hui. Je dis préférée, car rien d'absolu : tout vraiment est, doit être nuance.

J'ai aussi abandonné, momentanément, je suppose, ne connaissant pas l'avenir et surtout n'en répondant pas, certains choix de sujets : les historiques et les héroïques, par exemple. Et par conséquent le ton épique ou didactique pris forcément à Victor Hugo, un Homère de seconde main, après tout, et plus directement encore à Monsieur Leconte de Lisle qui ne saurait prétendre à la fraîcheur de source d'un Orphée ou d'un Hésiode, n'est-il pas vrai ? Quelles que fussent, pour demeurer toujours telles, mon admiration du premier et mon estime esthétique de l'autre, il ne m'a bientôt plus convenu de faire du Victor Hugo ou du Monsieur Leconte de Lisle, aussi bien peut-être et *mieux* (ça s'est vu chez d'autres ou du moins il s'est dit que ça s'y est vu), et j'ajoute que pour cela il m'eût fallu comme à d'autres l'éternelle jeunesse de *certains* Parnassiens, qui ne peut reproduire que ce qu'elle a lu et dans la forme où elle l'a lu.

Ce n'est pas au moins que je répudie les Parnassiens, bons camarades quasiment tous, et poètes incontestables pour la plupart au nombre de qui je m'honore d'avoir compté pour quelque peu. Toutefois je m'honore non moins, sinon plus d'avoir, avec mon ami Stéphane Mallarmé et notre grand Villiers, particulièrement plu à la nouvelle génération et à celle qui s'élève : précieuse récompense, aussi, d'efforts en vérité bien désintéressés.

Mais plus on me lira, plus on se convaincra qu'une sorte

d'unité relie mes choses premières à celles de mon âge mûr : par exemple les « Paysages tristes » ne sont-ils pas en quelque sorte l'œuf de toute une volée de vers chanteurs, vagues ensemble et définis, dont je suis peut-être le premier en date oiselier ? On l'a imprimé du moins. Une certaine lourdeur, poids et mesure, qu'on retrouvera dans mon volume en train, *Bonheur*, ne vous arrête-t-elle pas, sans trop vous choquer, j'espère, ès les très jeunes « Prologue » et « Épilogue » du livre qu'on vous offre à nouveau ce jourd'hui ? Plusieurs de mes poèmes postérieurs sont frappés à ce coin qui, s'il n'est pas le bon, du moins, me semble idoine en ces lieux et places. L'alexandrin a ceci de merveilleux qu'il peut être très solide, à preuve Corneille, ou trop fluide, avec ou sans mollesse, témoin Racine. C'est pourquoi, sentant ma faiblesse et tout l'imparfait de mon art, j'ai réservé pour les occasions harmoniques ou mélodiques ou analogues ou pour telles ratiocinations compliquées des rythmes inusités, impairs pour la plupart, où la fantaisie fût mieux à l'aise, n'osant employer le mètre sacro-saint qu'aux limpides spéculations, qu'aux énonciations claires, qu'à l'exposition rationnelle des objets, invectives ou paysages.

Plusieurs parmi les très aimables poètes nouveaux qui m'accordent quelque attention regrettent que j'aie aussi renoncé à des sujets « gracieux », comédie italienne et bergerades contournées, oubliant que je n'ai plus vingt ans et que je ne jouis pas, moi, de l'éternelle jeunesse dont je parlais plus haut, sans trop de jalousie pourtant. La chute des cheveux et celle de certaines illusions, même si sceptiques, défigurent bien une tête qui a vécu, — et intellectuellement aussi, parfois même, la dénatureraient. L'amour physique par exemple, mais c'est d'ordinaire tout pomponné, tout frais, satin et rubans et mandoline, rose au chapeau, des moutons pour un peu, qu'il apparaît au « printemps de la vie ». Plus tard, on revient des femmes, et vivent alors, quand pas la Femme, épouse ou maîtresse, *rara avis !* les nues filles, pures et simples, brutales et vicieuses, bonnes ou mauvaises, plus volontiers bonnes. Et puis il va si loin parfois, l'amour physique, dans nos têtes d'âge mûr, quand nos âges mûrs ne sont pas résignés, y ayant ou non des raisons.

Mais quoi donc ! l'âge mûr a, peut avoir ses revanches, et l'art aussi, sur les enfantillages de la jeunesse, ses nobles revanches, traiter des objets plus et mieux en rapport, religion, patrie, et la science, et soi-même bien considéré sous toutes formes, ce que j'appellerai de l'élégie sérieuse en haine de ce mot, psychologie. Je m'y suis efforcé quant à moi, et j'aurai laissé mon œuvre personnelle en quatre parties bien définies, *Sagesse, Amour, Parallèlement*, — et *Bonheur*, qui est sous presse, ou tout comme.

Et je vais repartir pour des travaux plus en dehors, roman,

théâtre, ou l'histoire et la théologie, sans oublier les vers. Je suis à la fourche, j'hésite encore.

Et maintenant je puis, je dois peut-être, puisque c'est une responsabilité que j'assume en assumant de réimprimer mes premiers vers, m'expliquer très court, tout doucement sur des matières toutes de métier avec de jeunes confrères qui ne seraient pas loin de me reprocher un certain illogisme, une certaine timidité dans la conquête du « vers libre », qu'ils ont, croient-ils, poussée, eux, jusqu'à la dernière limite.

En un mot comme en cent, j'aurai le tort de garder un mètre, et dans ce mètre quelque césure encore, et au bout de mes vers des rimes. Mon Dieu, j'ai cru avoir assez brisé le vers, l'avoir assez affranchi, si vous préférez, en déplaçant la césure le plus possible et quant à la rime, m'en être servi avec quelque judiciaire pourtant, en ne m'astreignant pas trop, soit à de pures assonances, soit à des formes de l'écho indiscrètement excessives.

Puis — car n'allez pas prendre au pied de la lettre l'« Art poétique » de *Jadis et Naguère*, qui n'est qu'une chanson après tout, JE N'AURAI PAS FAIT DE THÉORIE !

C'est peut-être naïf, ce que je dis là, mais la naïveté me paraît être un des plus chers attributs du poète, dont il doit se prévaloir à défaut d'autres.

Et jusqu'à nouvel ordre je m'en tiendrai là. Libre, à d'autres d'essayer plus. Je les vois faire et s'il faut, j'applaudirai.

Voici toujours, avec deux ou trois corrections de pure nécessité, les *Poèmes Saturniens* de 1867, que je ne regrette pas trop d'avoir écrits alors. À très prochainement la *Bonne Chanson* (1870) et c'en sera fini de la réimpression de mes péchés d'antan.

CHRONOLOGIE

1844 — 30 mars : Naissance de Paul-Marie Verlaine, à Metz, 2, rue Hautepierre, de Nicolas-Auguste Verlaine, capitaine adjudant-major au 2e Régiment du Génie, et d'Élisa Dehée — dont une sœur est la mère d'Élisa Moncomble, qui sera pour Verlaine presque « une sœur aînée ».

1845-1849 : Installation familiale à Montpellier, puis à Sète et à Nîmes, selon les changements de garnison du capitaine Verlaine, et retour à Metz.

1851 : Installation à Paris, aux Batignolles.

1853-1862 : Interne à l'Institution Landry, il suit les cours du lycée Bonaparte (Condorcet). Il rencontre Edmond Lepelletier en 1860. Il sera reçu bachelier ès-lettres en 1862.

1858 : Mariage de sa cousine Élisa Moncomble avec Auguste Dujardin, propriétaire d'une sucrerie à Lécluse (Nord). Il séjourne chez le couple l'été de 1862.

1863 : Rencontre de Banville, de Villiers de l'Isle-Adam, de Heredia, de Coppée, chez la mère de Louis-Xavier de Ricard. En septembre, vacances à Lécluse, chez sa cousine Élisa.

1864 : Nommé expéditionnaire dans les bureaux de la Ville de Paris. Rencontre de Catulle Mendès, de Léon Dierx, de Glatigny.

1865 : Important article sur Baudelaire dans *L'Art.* 30 décembre : Mort de son père.

1866 : Publication des *Poèmes saturniens* (Alphonse Lemerre ; le 17 novembre dans la *Bibliographie de la France*).

1867 : Mort d'Élisa Dujardin à Lécluse. Publication des *Amies* (Bruxelles).

1869 : *Fêtes galantes*.

1870 : Mariage avec Mathilde Mauté. Publication de *La Bonne Chanson*.

1871-1873 — mars-mai 1871 : Demeure en fonction à l'Hôtel de Ville pendant la Commune. Septembre 1871 : Accueille Rimbaud à Paris. Violences envers Mathilde, qui se réfugie à Périgueux avec son fils en janvier 1872. Juillet 1872-juillet 1873 : Voyage en Belgique et séjour en Angleterre avec Rimbaud. 10 juillet 1873 : À Bruxelles, blesse Rimbaud d'une balle de revolver ; arrêté et condamné à deux ans de prison, interné à Mons.

1874 — mars : *Romances sans paroles*, imprimées à Sens, par les soins de Lepelletier. Juin : Il annonce sa conversion à l'aumônier de la prison de Mons, dont il sortira en janvier suivant.

1875-1880 : Enseigne en Angleterre et en France et se lie avec Lucien Létinois. 1880 : Installation à Rethel avec Létinois dans une ferme qu'il a acquise. Publication de *Sagesse*.

1882-1883 : Retour à Paris où il renoue avec les milieux littéraires. Mort de Lucien Létinois en 1883.

1884 : *Les Poètes maudits. Jadis et Naguère*.

1885 : Incarcéré trois mois à Vouziers, pour violences envers sa mère. Ils s'installent ensuite à l'hôtel du Midi, rue Moreau, à Paris.

1886-1887 — 21 janvier 1886 : Mort de sa mère. Rencontre de Cazals. Hospitalisé à deux reprises. Publication des *Mémoires d'un veuf*. Nouvelle longue hospitalisation en 1887.

1888 : Publication d'*Amour*. Installation rue Royer-Collard. Plusieurs hospitalisations.

1889 : Publication de *Parallèlement*. Cure à Aix-les-Bains.

1890 : Liaison avec Philomène Boudin. Publie *Dédicaces* et *Femmes*.

1891 : Épisodiquement hospitalisé. Publie *Bonheur*, *Choix de poésies*, *Les Uns et les Autres*, *Chansons pour elle*.

1892 : Liaison avec Eugénie Krantz. Publie *Mes Hôpitaux* et *Liturgies intimes*.

1893 : Donne des conférences en Belgique. Publie *Élégies*, *Odes en son honneur*, *Mes prisons*. Conférences à Londres, Oxford et Manchester.

1894 : Il succède à Leconte de Lisle comme « Prince des Poètes ». Sa santé se détériore. Publie *Dans les limbes* et *Épigrammes*.

1895 : Reprend la vie commune avec Eugénie Krantz. Sa maladie s'aggrave. Reçoit des secours financiers d'un groupe d'amis et d'amateurs des Lettres (Barrès, Coppée, Léon Daudet, Mirbeau, Montesquiou...). Publie les *Confessions*.

1896 — 8 janvier : Mort de Verlaine. Après le service célébré à Saint-Étienne-du-Mont, un cortège de plusieurs milliers de personnes l'accompagne au cimetière des Batignolles, où Lepelletier, Mallarmé, Mendès, Coppée, entre autres, lui rendent hommage.

ÉLÉMENTS BIBLIOGRAPHIQUES

ÉDITIONS

Œuvres complètes de Paul Verlaine, introduction d'Octave Nadal, études et notes de Jacques Borel, texte établi par H. de Bouillane de Lacoste et Jacques Borel, Club du Meilleur Livre, t. I, 1959, t. II, 1960.

Œuvres poétiques complètes, texte établi et annoté par Y.-G. Le Dantec (1938), éd. revue, corrigée et complétée par Jacques Borel, Bibliothèque de la Pléiade, Gallimard, 1962. À partir de 1989, y figurent *Hombres* et *Femmes*.

Œuvres en prose complètes, éd. de Jacques Borel, Bibliothèque de la Pléiade, Gallimard, 1972.

Œuvres poétiques, éd. de J. Robichez, Classiques Garnier, 1969. Édition revue et corrigée, coll. Classiques Garnier, Dunod, 1995.

Poésies (1866-1880), éd. de Michel Décaudin, Imprimerie Nationale, 1980.

BORNECQUE Jacques-Henry, *Les Poèmes saturniens de Paul Verlaine*, étude et commentaire avec quatre hors-texte, Nizet, 1952 ; 2e éd. augmentée, avec le texte, Nizet, 1967.

Poèmes saturniens, Confessions, éd. de Jean Gaudon, Garnier-Flammarion, 1977.

ICONOGRAPHIE

Album Verlaine, Bibliothèque de la Pléiade, 1981.

Paul Verlaine, Portraits, Peintures, Dessins, Photographies, Librairie Giraud-Badin et Librairie Jean-Claude Vrain, 1984.

VAN BEVER Adolphe, et MONDA Maurice, *Bibliographie et iconographie de Paul Verlaine*, Messein, 1926.

ÉTUDES

ADAM Antoine, *Le Vrai Verlaine*, Genève, Droz, 1936 ; Slatkine Reprints, 1972.

ADAM Antoine, *Verlaine*, coll. Connaissance des Lettres, Hatier-Boivin, 1953 (plusieurs rééditions).

BORNECQUE Jacques-Henry, *Verlaine par lui-même*, coll. Écrivains de toujours, Le Seuil, 1966.

BUISINE Alain, *Verlaine*, coll. Figures de proue, Taillandier, 1995.

CORNULIER Benoît de, *Théorie du vers. Rimbaud, Verlaine, Mallarmé*, Le Seuil, 1982.

COULON Marcel, *Verlaine poète saturnien*, Grasset, [1929].

CUENOT Claude, *Le Style de Paul Verlaine*, 2 vol., C.D.U., 1963.

DELAHAYE Ernest, *Verlaine*, Messein, 1919; Slatkine Reprints, 1982.

EX-MADAME PAUL VERLAINE *Mémoires de ma vie*, introduction de François Porché, Flammarion, 1935. Nouvelle édition, avec préface et notes de Michael Pakenham, coll. Dix-Neuvième, Champvallon, 1982.

LEPELLETIER Edmond, *Paul Verlaine, sa vie, son œuvre*, Mercure de France, 1907; 2e éd. 1923; Slatkine Reprints 1982.

MARTINO Pierre, *Verlaine*, Boivin, 1924; nouv. éd. 1951.

MOUROT Jean, *Verlaine*, coll. Phares, Presses Universitaires de Nancy, 1988.

NADAL Octave, *Paul Verlaine*, Mercure de France, 1961.

PETITFILS Pierre, *Verlaine*, Julliard, 1982.

PORCHÉ François, *Verlaine tel qu'il fut*, Flammarion, 1933.

RICHER Jean, *Paul Verlaine*, coll. Poètes d'aujourd'hui, Seghers, 1953; nouv. éd. refondue 1980.

ROBICHEZ Jacques, *Verlaine entre Rimbaud et Dieu*, SEDES, 1982.

VANNIER Gilles, *Verlaine et l'enfance de l'art*, coll. Champ poétique, Champvallon, 1993.

WHITE Ruth, *Verlaine et ses musiciens*, coll. La Thésothèque, Minard, 1992.

ZAYED Georges, *La Formation littéraire de Verlaine*, Genève, Droz, et Paris, Minard, 1962; 2e éd. 1970.

ZIMMERMANN Eléonore, *Magies de Verlaine*, Corti, 1967; Slatkine Reprints, 1981.

ARTICLES ET CHAPITRES D'OUVRAGES

AROUI Jean-Louis, « Forme strophique et sens chez Verlaine », *Poétique*, n° 95, septembre 1993.

BEM Jeanne, « Verlaine, poète lunaire », *Mythe et langage poétique*, *Stanford French Review*, IV, 1980, p. 379-393.

BIVORT Olivier, « Verlaine et la rhétorique de la mélancolie », Université de Vérone, Schena, 1994.

COMBET Georges, « Un poème de l'attente frustrée, *Soleils couchants* de Verlaine », *Poétique*, XI, 1980, pp. 225-233.

DECAUDIN Michel, « Poésies de Verlaine 1866-1880 », *Impressions*, n° 16, décembre 1980, pp. 25-28.

FONGARO Antoine, « Verlaine et Marceline Desbordes-Valmore », *Studi francesi*, n° 6, 1958, pp. 442-445. « Sur Verlaine et Marceline Desbordes-Valmore », *Studi francesi*, n° 23, 1964, pp. 288-289.

Moreau Pierre, « De quelques paysages introspectifs », *Âmes et thèmes romantiques*, Corti, 1965.

Richard Jean-Pierre, « Fadeur de Verlaine », *Poésie et Profondeur*, Le Seuil, 1955.

Ruwet Nicolas, « Musique et vision chez Verlaine », *Langue française*, n° 49, février 1981, pp. 92-112.

PÉRIODIQUES

Europe, septembre-octobre 1974.

Nord, n° 18, décembre 1991.

Revue Verlaine, Musée-Bibliothèque de Charleville-Mézières, n° 1, 1993 ; n° 2, 1994.

Verlaine, Cahiers de l'Association internationale d'études françaises, n° 43, mai 1991.

Table

ANNEXES

Composition réalisée par EURONUMÉRIQUE

Imprimé en France sur Presse Offset par

BRODARD & TAUPIN

GROUPE CPI

La Flèche (Sarthe).
N° d'imprimeur : 4123 – Dépôt légal Édit. 6574-09/2000
LIBRAIRIE GÉNÉRALE FRANÇAISE - 43, quai de Grenelle - 75015 Paris.

ISBN : 2 - 253 - 09830 - 2   ⟨⟩ 30/3133/3